FAIS-TOI CONFIANCE

Du même auteur

Aux éditions Marabout :

L'Intelligence du cœur, 1998.

Au cœur des émotions de l'enfant, 2001.

Que se passe-t-il en moi ?, 2002.

L'Année du bonheur, 2002.

Je t'en veux, je t'aime, 2005.

Aux éditions La Méridienne :

Le Corps messager, avec Hélène Roubeix, 1988, 1998, édition augmentée et rééditée en coéd. avec Desclée de Brouwer, 2003.

Aux éditions Belfond :

Trouver son propre chemin, 1991, Presse Pocket, 1992.

Aux éditions Dervy :

L'Alchimie du bonheur, 1992, 1998.

Le Défi des mères, avec Anne-Marie Filliozat, 1994.

Isabelle Filliozat

Fais-toi confiance

*ou comment être à l'aise
en toutes circonstances*

•Marabout•

À
Vincent,
Jean-Denis,
et Karin, devenue Karina,
mes frères et sœur.
Nos relations ont tour à tour
sapé et dopé
ma confiance en moi.
Avec eux, j'ai beaucoup appris sur le sujet.

INTRODUCTION

Qu'est-ce au juste que la confiance en soi? Tant de gens annoncent en manquer et se comportent pourtant avec aisance. Êtes-vous de ceux qui tremblent intérieurement sans rien laisser paraître, ou au contraire de ceux qui s'effacent en rougissant? Êtes-vous de celles qui savent décider ou qui hésitent sans fin entre deux paires de chaussures? Faites-vous partie de ceux qui savent se faire respecter, de ceux qui n'ont jamais de besoin propre ou encore de ceux qui n'osent exprimer un désir par peur de déplaire? Appartenez-vous à la catégorie des sûrs d'eux (sûres d'elles) ou de ceux (celles) qui doutent de tout et surtout de leurs compétences?

Peur de l'avenir ou des autres, doutes concernant vos capacités ou votre popularité, votre défaut de confiance est-il profond, touchant tous les domaines de votre existence, ou plutôt léger, ne vous freinant que dans le secteur professionnel ou dans votre vie privée? Êtes-vous comme Martine, à l'aise dans son couple, dans sa famille, mais paniquée par l'idée de l'échec et s'abstenant de tout projet professionnel un peu ambitieux... Ou ressemblez-vous à Capucine, *success woman* dans sa profession mais évitant les relations intimes, persuadée de ne pouvoir être aimée? Toutes deux disent manquer de confiance en elles, pourtant elles sont loin de se ressembler. De même Charles et Kévin: le premier réussit tout ce qu'il entreprend, le second est abonné aux ratages. Pourtant ils avouent tous deux manquer de confiance en eux.

Y aurait-il plusieurs formes de confiance en soi et peut-être plusieurs dimensions du « soi » dont il est question ?

Pendant des années, enfant, adolescente, si un terme me semblait approprié à mon vécu, c'était bien le manque de confiance en moi. Pourtant, malgré des notes moyennes à l'école, je n'ai pas le souvenir d'avoir douté de mes capacités intellectuelles. Je réfléchissais déjà beaucoup et ne rencontrais pas de difficultés particulières dans mon travail scolaire (à part l'ennui comme bon nombre de collégiens, mais ce sera le sujet d'un autre livre). Tout se jouait face aux autres. Si certains de mes copains de classe me jugeaient à juste titre effacée, d'autres me voyaient solide et sûre de moi. Les mamans avaient même tendance à me confier leur fille ! Aux yeux d'un parent, l'inhibition passe volontiers pour de la sagesse ! Une de mes amies de collège m'a dit récemment : « Tu savais tant de choses, tu avais toujours quelque chose à dire. » Il y a souvent un certain contraste entre ce que nous vivons à l'intérieur et ce que perçoivent les autres. Comme j'aurais apprécié qu'elle me le dise à l'époque ! Ayant du mal à mémoriser les titres de disques, de chansons ou de films, séchant sur les noms des acteurs ou des chanteurs, j'avais l'impression de ne rien avoir à dire, de ne pas pouvoir participer aux conversations, d'être inintéressante. Je ne manquais de confiance ni en mes compétences ni en mes connaissances, mais en ma capacité à être appréciée, à être reconnue intéressante. Puisque mes frères me détestaient ouvertement, me traitaient de « bulldozer » et autres noms d'oiseaux, j'imaginais être vue de cette manière par tous. De ce fait, j'étais totalement bloquée dans nombre de situations sociales : fêtes, boums et autres réunions informelles. Pourtant, personne n'aurait cru que je manquais de confiance en moi en me voyant partir avec mon frère en avion à l'âge de quatorze ans (lui en avait douze) pour deux mois au Sri Lanka et en Inde. Certes, nous fûmes accueillis par diverses familles que connaissait l'une de mes tantes, mais nous étions autonomes dans nos trajets et avons donc emprunté seuls avions, bus, trains, taxis, rickshaws... Pour moi, l'unique difficulté dans ce voyage a été la rencontre d'un garçon cinghalais de mon âge à qui je plaisais manifestement beaucoup !

Mon histoire m'a montré qu'il pouvait exister de multiples facettes de la confiance en soi. Tour à tour renfermée, exubérante, meneuse, silencieuse et observatrice, j'ai testé les extrêmes, exploré les dimensions variées de la timidité et du manque de confiance en soi. J'ai douté de mon image, de mon corps, de ma capacité à être aimée, de mon avenir, et même de mes compétences d'écrivain. Oui, si ce livre que vous tenez entre vos mains est le dixième que je publie, j'ai mis bien du temps à écrire le premier, tant j'étais convaincue que j'en étais incapable. Cette certitude a fondu dès l'instant où j'ai enfin osé inscrire les premiers mots sur une page blanche.

Nombre de nos idées autour de la confiance en soi ne nous aident pas à avoir confiance en nous. Il est utile de commencer par un petit coup de balai dans ces idées reçues de manière à préciser ce qu'est vraiment le manque de confiance en soi. Cette première partie dénonce nos croyances et éclaire le processus par lequel nous maintenons (inconsciemment) notre défaut de confiance.

Insécurité profonde, crainte de ne pas être à la hauteur, sentiment de ne pouvoir être aimé, certitude de ne pas être intéressant, nos souffrances sont diverses, comme leurs causes. L'enfance mais aussi certains événements ou situations du présent jouent leur rôle. Nous verrons aussi ce que nous pouvons faire en tant que parent pour aider nos enfants à construire solidité intérieure, sécurité, confiance en leurs capacités, assurance et ouverture aux autres.

Il ne suffit pas toujours de comprendre pour aller mieux. Selon que vous manquez de sécurité intérieure, de confiance en vos émotions, en vos besoins, en vos pensées et en vos sentiments ou en vos compétences, vous trouverez des pistes pour restaurer votre assurance, améliorer votre image, et même acquérir de nouvelles compétences sociales.

À la fin de ce livre, vous sera proposé un parcours d'exercices, un chemin de guérison : actes à poser, gestes à accomplir et messages pour nourrir votre discours interne. Les moments d'introspection y alternent avec des outils concrets de changement. Tous les manques de confiance ne se ressemblent pas. Certains exercices vous seront utiles, d'autres moins. Vous prendrez ce qui fait écho pour vous. Vous pourrez aussi en partager certains avec vos enfants.

Prisonnier de votre manque de confiance, vous n'osez pas... aller vers autrui, entreprendre, dire non, demander, danser, sortir, dire « je t'aime », avancer, montrer vos compétences. Vous n'osez parfois même pas être vous ?

L'objectif ? Oser être soi-même !

Prêt pour l'aventure ?

PREMIÈRE PARTIE

DE QUOI PARLE-T-ON ?

Interrogés sur la confiance en soi, nous avons tous des réponses. Nous savons ce qu'est la confiance et ce qu'est le manque de confiance en soi. Certaines de nos idées sont vraies, elles reflètent notre vécu, d'autres ne sont que des préjugés, des croyances non seulement erronées mais qui contribuent à miner notre assurance. Notre imaginaire construit un monde autour du concept de confiance, un monde dont nous sommes le plus souvent exclus. Idéalisant la confiance, nous la rendons inaccessible.

Faute d'autres mots à poser sur ce qui se passe en nous, nous nommons « manque de confiance » des réactions tout à fait normales. Un problème ? un échec ? « Je manque de confiance en moi. » L'aveu est là, tellement prompt à expliquer la situation qu'on est en droit de se demander s'il ne cache pas autre chose. La phrase est avancée tel un mantra protecteur... Y trouverions-nous des bénéfices ?

CHAPITRE 1
EN ÊTES-VOUS SI SÛR ?

Dressons le portrait imaginaire d'Albert, un homme qui a confiance en lui. Quels sont ses attributs ? Tout d'abord physiquement, il est plutôt beau, grand, athlétique, séduisant. Il est habillé avec goût, ce qui ne gâte rien. Il est riche parce qu'il a réussi. Il réussit tout ce qu'il entreprend. Il a une place en or et de toute façon n'aurait pas de difficulté à trouver du travail. Tout le monde veut travailler avec lui, il est tellement compétent et efficace ! Il sait où il va, prend aisément les bonnes décisions. Sa confiance en lui dégage une véritable aura qui séduit. Il plante ses yeux dans les vôtres avec assurance, il vous serre la main d'une poigne ferme. Il affronte toutes les situations et ne craint rien ni personne. Très à l'aise dans les relations, tant en petit comité qu'en groupe, il se sort des pires situations par une pirouette. Il est intelligent et tellement cultivé : il a toujours quelque chose d'intéressant à dire. Ses réflexions sont pertinentes, pleines de bon sens. Il a une belle maison, une femme sublime.

Bertrand, lui, est plutôt malingre, voire chétif. Personne ne désire avoir à ses côtés cet homme mal fagoté dans un habit trop grand, au cheveu gras. Heureusement, il doit en avoir conscience et reste la plupart du temps en retrait. Regard fuyant, mains moites et poignée molle, il est décidément peu amène. Inhibé en public et paralysé face à sa hiérarchie, il est employé à un poste en deçà de ses compétences. Il gagne peu mais s'en contente. Il travaille pourtant assidûment : il faut dire qu'il est plus lent que ses collègues, mais il est toujours prêt à faire plus, à rendre service. Discret, il reste penché sur ses dossiers, on entend peu sa voix dans les bureaux. Malgré son ancienneté, on ne lui a jamais proposé de poste supérieur. Il est mal à l'aise en groupe mais aussi dans les conversations plus intimes. C'est tout juste s'il ose manger avec ses collègues à la cantine. Il habite seul un F2 simplement meublé.

Ces deux caricatures reprennent nos clichés. Nous sommes bardés d'*a priori* tels que : « Quand on a confiance en soi, on réussit tout ce qu'on entreprend ! » Ou encore : « Quand on a confiance en soi, on est à l'aise partout et en toutes circonstances ! »

Quand on a confiance en soi...

En êtes-vous si sûr ? Toutes sortes de mythes entourent la confiance en soi. En fait, plus on en manque, plus on l'idéalise. Quand on éprouve quelque difficulté devant un choix, on se dit par comparaison que *les autres*, eux, savent ce qu'ils veulent. C'est une certitude pour nous, *les autres* ne font pas face au doute, eux savent décider et choisir. *Eux* sont à l'aise partout et en toutes situations et n'éprouvent aucune peur !

Chacun se croit volontiers différent, seul à être affligé de ce défaut de confiance. Autour de nous, à part peut-être une ou deux personnes particulièrement émotives, nous ne voyons qu'assurance et aisance. C'est une conviction : « Les autres ont la vie plus facile. » Nous savons parfaitement que cette assertion est fausse, mais, paradoxalement, nous y croyons !

C'est un fait, tout le monde doute. Seuls ceux pour qui les autres n'existent pas ne se posent jamais de questions.

Tout le monde hésite devant une importante décision à prendre. Tout le monde tremble devant la nouveauté et la mise en jeu de ses compétences. Tout le monde craint plus ou moins de ne pas être aimé. Et tout le monde a, au moins une fois dans sa vie et souvent davantage encore, rencontré des échecs, fait des erreurs, été trahi, vécu des situations de rejet, d'humiliation... Confiance en soi n'est pas synonyme de beauté, facilité, absence de crainte et succès assuré. Le premier bénéfice d'une psychothérapie en groupe est d'ailleurs cette découverte, stupéfiante pour certains, et véritable source de soulagement : « Je ne suis pas seul à ressentir ce que je ressens. » Oui, les autres éprouvent les mêmes émotions. Ils vivent les mêmes peurs, plus ou moins violentes, bien sûr, selon l'histoire de chacun, mais globalement, **les mêmes émois affectent nos semblables**.

En revanche, chacun développe ses propres réactions face au stress, aux hésitations, doutes ou tremblements. Face à l'incertitude, par exemple, nous éprouvons tous une certaine inquiétude. Mais cette peur naturelle et normale d'anticipation en paralyse certains et stimule les autres. Tous n'interprètent pas de la même façon les modifications physiologiques induites dans leur corps par leur hypothalamus en réaction à une situation nouvelle. Accélération cardiaque, tensions musculaires, certains fuient ces sensations jugées inconfortables, d'autres les apprécient, voire les recherchent. Certains sont inhibés, d'autres sont dopés par la petite dose d'adrénaline du trac. Devant un problème, certains se replient sur eux-mêmes, d'autres vont affronter l'adversité. À la racine de ces différences, de multiples causes, parmi lesquelles les blessures du passé, bien entendu, la confiance acquise ou non auprès de nos parents et professeurs, mais pas seulement, nous le verrons plus loin. Avant cela, regardons de plus près ce que nous nommons « manque de confiance en soi ».

CHAPITRE 2
QUE NOMME-T-ON
« MANQUE DE CONFIANCE EN SOI » ?

Le confiant regarde les autres dans les yeux, le timide a tendance à fuir le contact oculaire. Le confiant fait face aux autres tête haute, celui qui manque de confiance en lui baisse la tête. Évitement du regard, tête baissée : chez les singes, nous interprétons cela comme une posture de soumission visant à apaiser l'agresseur potentiel. Chez les humains, nous nommons ces attitudes « manque de confiance ».

Dès leur première rencontre, les animaux se positionnent les uns par rapport aux autres. La hiérarchie se met en place très vite et reste gravée en mémoire. Un cheval, un singe ou un chien peut rencontrer des mois, voire des années plus tard un de ses congénères, il respectera la hiérarchie établie lors de leur première rencontre. Le respect de la hiérarchie a une fonction de régulation sociale. Quand les dominés acceptent leur soumission, il y a moins de révoltes, d'agressions et même de conflits. Les dominants choisissent les premiers, les autres suivent et se contentent des restes.

Dans une société humaine à visée démocratique, il serait temps que nous réfléchissions globalement à notre fonctionnement social à la lumière de ces informations sur la dominance et la soumission. Mais peut-être la soumission des uns fait-elle le bonheur des autres ? Socialement, mais aussi au sein des microsociétés que sont la famille, l'entreprise ou l'école. Qui, dans notre histoire personnelle, aurait pu avoir un intérêt à conserver une position de dominant à notre égard ?

La soumission entraîne toutes sortes de symptômes physiques, physiologiques, psychiques et comportementaux que nous interprétons ensuite comme des « preuves » de manque de confiance en nous.

De multiples modifications hormonales et métaboliques interviennent pour réguler notre physiologie en fonction de notre situation, de nos besoins et de nos projets. Nous nous croyons libres, nous le sommes dans une certaine mesure et du fait que le néocortex conserve la main sur les structures sous-jacentes. Mais hors de notre conscience, dopamine, sérotonine et autres neuromédiateurs orchestrent nos états internes en rapport à l'environnement.

Des chercheurs ont montré que le métabolisme des singes se conforme à leur position dans la hiérarchie. L'agressivité et la soumission sont régulées par les hormones. La physiologie individuelle est au service de la régulation sociale. Et chez les humains ? Il semblerait qu'il en aille de même ! Nous nous adressons à une personne que nous considérons d'un statut social supérieur, totalement hors de notre conscience, notre tension artérielle s'élève [1]. Notre cerveau limbique a donné ses ordres, le « danger » est là, nous sommes sur le qui-vive, prêt à montrer des attitudes de pacification et de soumission. Les statistiques montrent, contrairement à toute attente, que les cadres moyens ont plus de problèmes avec leurs artères coronaires que les dirigeants !

---

1. Comme l'a montré James Lynch dans *Le Cœur et son langage*, Paris, InterÉditions, 1997.

Vous tremblez ? C'est votre système nerveux qui s'emballe. Sensation d'oppression, accélération cardiaque, sueurs, bouche sèche et estomac serré : n'en concluez pas abusivement à un manque de confiance en vous. Ces réactions physiologiques sont celles du stress, votre organisme cherche à faire face de manière appropriée à la situation.

Vous perdez vos moyens, votre mémoire s'efface, vous avez les mots sur le bout de la langue mais ne parvenez pas à les retrouver, vos pensées se paralysent... Ce sont aussi des manifestations d'adaptation. Votre cerveau perçoit un danger ou interprète la situation comme nécessitant votre soumission, il vous empêche de vous exposer.

Le phénomène est automatique, réflexe et bien sûr inconscient. Il se déclenche parfois abusivement quand on a appris à ses dépens que s'exposer attirait des ennuis. Toute expérience malheureuse d'humiliation, de mauvais accueil de nos propos ou de dévalorisation est mémorisée et va concourir à l'interprétation des situations nouvelles. C'est ainsi que, interdit de parole à table quand nous étions enfant, nous pouvons être stressé à l'idée de prendre la parole devant tout le monde lors d'un banquet. Quand ce déclenchement abusif est devenu habitude réflexe, quand les automatismes physiologiques de soumission sont si intégrés que nous les interprétons comme partie de notre personnalité, nous pouvons parler de manque de confiance en soi. Le manque de confiance en soi n'est donc pas un « problème psychologique », même s'il en cause parfois. C'est une adaptation « biopsychophysiologicosociale » c'est-à-dire une adaptation physiologique à une situation sociale avec des conséquences psychologiques, en vue de maintenir la vie.

Les risques de l'étiquetage

« Je manque de confiance en moi. » À chaque fois qu'il était amené à s'exposer en public, à parler devant un micro, Christophe éprouvait toutes sortes de sensations corporelles qui le terrifiaient : battements de cœur, chaleur dans la poitrine... Excellent animateur de radio, adorant son métier, il était démuni devant ce qu'il appelait « ses angoisses » et se dopait aux anxiolytiques.

Christophe avait en réalité une énergie débordante qu'il lui fallait apprendre à gérer, le trac des « grands » ! Ses réactions physiologiques étaient peut-être un peu plus intenses que la moyenne, ses performances, ses capacités l'étaient aussi ! Il les interprétait comme des manifestations d'une angoisse excessive, ce n'était que préparation à l'excellence. Le problème n'est parfois pas tant un manque de sécurité qu'un manque d'information sur les réactions du corps. Démuni devant ces sensations qu'il n'avait jamais appris ni à reconnaître et encore moins à utiliser, il paniquait. Convaincu que les autres n'étaient pas aux prises avec ces sensations, il se vivait comme différent, voire inférieur... ce qui entraînait un vrai manque de confiance en lui.

Pour Christophe comme pour nombre de nos contemporains, être bien, être normal, signifierait ne rien éprouver à l'intérieur. Or, peur, colère, tristesse, mais aussi désir, joie et amour sont associés à des manifestations physiologiques. Si nous ne savons pas les tolérer, la vie nous paraîtra bien fade.

Accélération cardiaque et dilatation des veines pour permettre au sang d'acheminer plus rapidement oxygène et sucre là où il y en a besoin, arrêt de la digestion pour concentrer l'énergie disponible dans le cerveau et les muscles périphériques, notre organisme se prépare à affronter la situation.

Certes, il n'est pas toujours utile de déclencher un tel mouvement intérieur. Parfois notre cerveau surdimensionne l'adversaire, et aller voir un psy est une bonne idée. Mais un certain nombre de nos réactions sont des réactions physiologiques naturelles et normales de notre organisme.

L'anxiété, la peur, le trac, le doute, l'inquiétude sont utiles, ils poussent à se dépasser, nous invitent à nous préparer à toutes les éventualités, à repérer les zones à risque dans un projet, ils nous ouvrent les yeux, nous alertent sur des détails susceptibles de nous faire échouer... Il est dommage d'étiqueter « manque de confiance en soi » l'afflux d'énergie qui nous permet de faire face à la situation, d'intégrer un maximum de données, de sentir « le sens du vent » et les réactions du public à nos paroles. C'est l'**étiquette** qui nous paralyse, non pas l'émotion.

De la même manière que toutes nos palpitations ne sont pas synonymes de manque de confiance en soi, tous nos échecs et difficultés sociales n'y sont pas forcément liés. Or, faute de comprendre les motivations de certaines de nos attitudes, de nos blocages et freins, nous utilisons un peu abusivement l'expression « manque de confiance ». Cela nous évite de nous poser d'autres questions, plus embarrassantes, ou tout simplement plus inconscientes.

Géraldine passe son permis de conduire pour la sixième fois. Elle explique ses échecs par son manque de confiance en elle. En effet, dès qu'elle s'assied à côté de l'examinateur, elle stresse. Il est vrai que nombre de gens échouent, paralysés par l'idée du jugement de l'examinateur. Mais trembler le jour de l'examen, commettre des fautes impardonnables, peut avoir d'autres causes. En l'occurrence, pour Géraldine, nous avons mis au jour le souvenir d'un accident dramatique dans sa famille. Sans oser se l'avouer, Géraldine était terrifiée à l'idée d'être la cause d'un accrochage. Elle n'avait jamais osé exprimer sa fureur à ses parents suite à l'accident qui l'avait privée de leur présence pendant de longs mois. Comment dire sa colère à des gens qui ont frôlé la mort! Oui, mais la petite fille qu'elle était alors aurait eu besoin de pouvoir exprimer sa fureur. Comme elle n'avait que cinq ans, ils ne lui ont jamais non plus vraiment expliqué l'accident. Comment cela s'était passé, qui était responsable... Le problème de Géraldine n'est vraiment pas de l'ordre de la confiance en elle. Des émotions de colère, de peur aussi, sont encore tapies en elle et sont à l'origine de ses échecs au permis. En revanche, en n'identifiant pas les véritables causes de ses insuccès répétés, elle va effectivement perdre confiance en elle!

Marc a déjà passé son permis deux fois. Lui aussi dit manquer de confiance en lui lorsque l'examinateur est à ses côtés. En réalité, quand nous explorons sa vie, il évoque ses tendances suicidaires. La vérité lui saute aux yeux. Pour le protéger, son inconscient l'empêche d'obtenir son examen. Une partie de lui n'est pas certaine de ce qu'il ferait avec un volant dans les mains. Ce n'est qu'en décidant vraiment de vivre que Marc a pu enfin s'autoriser à réussir son examen.

Henriette, elle, est dans une situation conflictuelle. Elle me confie : « Dès que j'obtiens mon permis, je me sépare de mon mari. » Bien évidemment, elle le rate consciencieusement, session après session. Elle est en fait très ambivalente et encore bien trop dépendante de son mari pour oser prendre le risque de le quitter. Chaque insuccès tout à la fois la soulage en éloignant le départ et lui prouve qu'elle n'est pas à la hauteur, incapable de se débrouiller seule, et donc qu'elle a besoin de son mari, ce qui augmente encore sa dépendance. Ce n'est pas vraiment le regard de l'examinateur qui lui fait perdre ses moyens, mais l'enjeu : la séparation.

Jules rate pour d'autres raisons. Il est furieux contre son père, chauffeur de son métier. N'osant pas exprimer sa colère, il le blesse en le décevant ! Inconvénient : plus il échoue, plus il se dévalorise et confirme son père dans sa position dominante.

Les apparences du manque de confiance en soi peuvent masquer des motivations variées. Gare aux interprétations trop rapides... Nos échecs ont parfois un sens caché ! Écoutons cette signification et séparons les enjeux, cela nous évitera de saper inutilement notre confiance en nous.

Nos stratégies pour apprivoiser nos peurs

La vie est forcément porteuse d'incertitude. Augmentation du rythme cardiaque, tensions, sensations de chaleur dans le sternum, ventre serré... notre corps cherche à s'adapter. Ces sensations corporelles indiquent qu'une question nous est posée. Il s'agit d'un défi, d'une décision à prendre... Prenons-le comme tel et utilisons l'énergie libérée par l'organisme pour fournir la réflexion ou l'effort exigé par la situation plutôt que de foncer chez un médecin ou un psy demander des médicaments ou une thérapie pour éteindre toute manifestation physiologique en soi. Si l'angoisse, les phobies, les peurs exagérées se soignent, toutes les réactions de notre corps ne sont pas à combattre, apprenons à tolérer en nous les peurs appropriées. Soit dit en passant, l'angoisse est paradoxalement souvent un paravent pour s'empêcher d'éprouver la peur, de sentir l'insécurité... J'angoisse par exemple sur le fait de sortir seule dans la rue. Ces angoisses prennent tant d'espace qu'elles occultent le fait que je vais mal dans mon couple et que je n'ose rien dire.

Nombre de nos comportements et d'aspects de ce que nous nommons notre « caractère » ne sont que des stratégies de lutte contre la perte de confiance en soi, des tentatives pour conserver le contrôle d'une situation plutôt que de s'abandonner à vivre l'incertitude de l'instant. Cela écarte de l'intimité, mais ça rassure.

Certains fuient les autres, s'enferment dans un mutisme plus ou moins souriant, ils se retirent dans leur tour d'ivoire. D'autres se montrent outrageusement séducteurs ou font les clowns, deviennent le « blagueur de service » et animent les soirées. Nombre de ceux qui font profession de faire rire les autres évoquent à l'origine de cette vocation leur manque de confiance en eux. Pour être certains de se faire accepter, ils ont décidé de faire rire. Certains encore offrent de petits, voire de gros cadeaux, pour se faire aimer... Nous mettons en place toutes sortes de stratégies pour contrôler nos relations aux autres, maîtriser notre inquiétude et éviter l'intimité, qui serait pourtant la seule nous permettant de nous sentir vraiment en confiance.

Dès qu'elle entre dans une pièce, pour juguler son angoisse, Juliette va vers les autres et leur parle. Ce n'est pas forcément parce qu'ils sont à l'aise que les gens vous abordent, mais parce que c'est leur façon de se rassurer. Ils ont découvert que **quand on parle avec un autre, on se sent moins seul**.

Mais quand on a appris dans son enfance à ne pas être entendu, quand on a mesuré combien nos parents s'éloignaient quand nous cherchions à les rejoindre, quand on a eu honte, quand on a été humilié, culpabilisé... on ne croit plus au pouvoir de la relation authentique. Chacun développe alors sa manière d'apprivoiser ses peurs. René s'entoure de multiples rituels comme se laver les mains, compter ou placer ses chaussures très précisément à leur place, l'une à côté de l'autre. Roger s'inscrit sur le registre du pouvoir, se montre dominateur, violent, persécuteur. D'autres manipulent à partir d'une position de pouvoir moins évidente.

Renaud, par exemple, endosse un costume de sauveur, il est toujours là pour les autres, il aime aider, il parle peu de lui. Rose s'occupe aussi des autres, elle donne beaucoup mais ne sait pas recevoir. Sylvie se drape dans un vêtement de victime, dans une fragilité qui invite les autres à prendre soin d'elle. **Les jeux de pouvoir rassurent car le résultat en est prévisible. Catastrophique, mais prévisible.** Et, quand on a peu de sécurité en soi, mieux vaut une catastrophe prévue et identifiée que l'inconnu.

Hors des jeux de pouvoir, nombre de nos activités sont dictées au moins en partie par le désir de dompter l'incertitude. Martin, passionné de modélisme, passe tout son temps libre sur ses maquettes. Luc est philatéliste, il y consacre ses loisirs et ses pensées. Toutes ses relations sont structurées autour des timbres. Reine milite dans une association de protection des animaux, Adeline est fan de plongée sous-marine, tout congé est prétexte à une sortie en mer. Eux et bien d'autres s'investissent à plein dans une passion, dans une association, qui structure leurs loisirs et leur permet de rencontrer des gens dans un cadre bien défini. C'est une façon de recevoir quantité de signes de reconnaissance, d'être en lien avec d'autres, sans vivre l'insécurité des réunions informelles. Quand on partage un même intérêt, le sujet de conversation est tout trouvé. On ne s'expose pas vraiment. L'activité partagée nourrit suffisamment le besoin relationnel pour juguler l'angoisse de la solitude.

Nombre de gens trouvent aussi refuge dans une religion qui leur offre tout à la fois des certitudes sur lesquelles s'appuyer et une famille, un groupe d'appartenance. Le succès des sectes est lié à ce besoin de se sentir appartenir, d'être relié, voire guidé. Entouré, stimulé, aimé, on y reprend effectivement une certaine confiance. On y acquiert un statut : les sectes intelligentes confient des responsabilités, on s'y sent important. Le gourou vous remarque personnellement... Vous

vous sentez élu. Vous sentez naturellement beaucoup de gratitude envers la secte et le guru qui vous ont « tant apporté », sans prendre conscience que tout cela n'était qu'un jeu de pouvoir.

Il y a d'autres façons de se rassurer, de gérer l'insécurité, de faire face à l'incertitude que d'adhérer à un dogme, de s'enfermer dans une secte, un parti ou un personnage. **Apprenons à accepter en nous un « manque de confiance » sain et utile** plutôt que d'utiliser force stratégies pour tenter d'effacer en nous et autour de nous toute source de peur ou d'insécurité. La confiance permet de **tolérer en soi une certaine dose de peur et d'insécurité**. Le vrai confiant n'a pas besoin de séduire, pas besoin de réussir toujours, pas besoin de tout savoir, pas besoin de soumettre autrui, d'organiser en permanence l'espace et le temps, de savoir quoi dire, ou d'avoir raison...

Chapitre 3
Du bénéfice du doute

Parmi les croyances entourant la confiance en soi, il se dit qu'une personne ayant confiance en elle sait ou ne sait pas, mais qu'elle n'hésite pas! Elle répond vite, elle est sûre d'elle dans ses réponses. Elle a un avis tranché sur les problèmes. Certaines ont même réponse à tout. Vous reconnaissez le portrait d'Albert, rencontré au début de ce livre. Cette certitude, cette affirmation sont-elles vraiment des marques de confiance en soi, et surtout sont-elles des gages de succès dans la vie? Ce n'est pas sûr.

Trop sûr de soi (pour rire un peu...)

Voici la transcription d'une communication radio entre un bateau de l'US Navy et les autorités canadiennes, au large des côtes de Newfoundland en octobre 1995 qui a largement circulé sur internet:

Les Américains – Veuillez vous dérouter de 15 degrés nord pour éviter une collision. À vous.

Les Canadiens – Veuillez plutôt VOUS dérouter de 15 degrés sud pour éviter une collision. À vous.

Les Américains – Ici le capitaine d'un navire des forces navales américaines. Je répète, veuillez modifier votre course. À vous.

Les Canadiens – **Non, veuillez** VOUS **dérouter, je vous prie.** À vous.

Les Américains – Ici le porte-avions *US Lincoln,* le second navire en importance de la flotte navale des États-Unis d'Amérique. Nous sommes accompagnés par trois destroyers, trois croiseurs et un nombre important de navires d'escorte. Je vous demande de dévier votre route de 15 degrés nord ou des mesures contraignantes vont être prises pour assurer la sécurité de notre navire. **Déroutez votre course maintenant.** À vous.

Les Canadiens – Nous sommes un phare. À vous.

Silence du côté des Américains...

Être trop sûr de soi peut mener à des déconvenues. Vérifiez qui est en face de vous. Apprenez à écouter.

Même si la plupart d'entre nous s'accorderaient à dire que la confiance en soi est un gage de succès, nous avons tous vu des enfants et des adultes échouer lors d'une compétition, d'un match, d'un concours, d'un examen, avec ce commentaire : « Il l'a abordé avec trop de confiance en lui. » Oui, l'abondance de confiance peut nuire !

Il y a quelques années, à la Cité des Sciences, à Paris, un labyrinthe était proposé aux visiteurs. Les expérimentateurs mesuraient le rapport entre la confiance en soi et les capacités d'apprentissage. Qui a appris le plus vite à trouver la sortie du labyrinthe ? Les sûrs d'eux ou ceux qui craignaient de ne pas y arriver ? Vous pensez que ce sont les premiers ? L'expérience a établi le contraire. Ceux qui doutaient d'y parvenir apprenaient nettement mieux. Les expérimentateurs ont conclu à l'effet bénéfique d'un peu de peur sur l'apprentissage. En effet, ceux qui avaient confiance en eux, jugeant la tâche facile, ont méconnu nombre d'informations. Ils sont allés trop vite, sans prendre suffisamment de repères. La nature ne nous a pas dotés de cette option par hasard. Le manque de confiance en soi est une réaction appropriée à une situation, il nous permet d'apprendre.

Les convictions ne sont souvent qu'une assurance de surface, on y tient d'autant plus que nos idées sont sans fondement réel à l'intérieur. Les jugements d'Albert, « le confiant », lui tiennent lieu de structure. S'il doit les remettre en cause, il s'effondre ! Les extrémistes de tous bords ont besoin de croire leur dogme infaillible, qu'il soit politique ou religieux. Cette illusion d'infaillibilité leur donne un sentiment de sécurité dont ils manquent par ailleurs.

Des parents me confiaient ceci : « Quand nous avons dit quelque chose à nos enfants, nous nous y tenons, même si de nouvelles informations nous montrent que nous n'avions pas forcément raison. Nous sommes aussi attentifs à toujours dire tous les deux la même chose. Pour avoir confiance en nous, notre enfant doit sentir que notre attitude est consistante. Ils doivent croire que leurs parents sont infaillibles, sinon, ils ne pourraient plus nous écouter. » Cette attitude exprime toute l'insécurité de ces parents, une insécurité que les enfants, plus finauds que ces parents ne semblent le reconnaître, ne manqueront pas de ressentir. Hélas, cette croyance éducative est assez répandue. Elle ne serait que pathétique si elle n'était aussi destructrice. Comment des enfants peuvent-ils avoir confiance en des parents qui leur mentent juste pour conserver leur pouvoir ? Reconnaître ses erreurs est une attitude nettement plus « consistante » qui non seulement permet à l'enfant d'avoir une grande confiance en ses parents, mais aussi l'aide à construire sa confiance en lui, en lui permettant de vérifier qu'il « sent juste » quand il perçoit une incohérence.

Qui n'a jamais regardé avec commisération une personne enfermée dans ses rationalisations pour éviter d'accepter la réalité ? Une personne qui a vraiment confiance en elle n'a pas peur des informations qui vont à l'encontre de son avis. Elle écoute, elle doute, elle cherche, elle est capable de changer d'avis. Sa flexibilité n'est pas faiblesse, mais véritable intelligence. Plutôt que de défendre une « position », elle cherche la vérité. Une vérité qu'elle n'affirme d'ailleurs pas, sachant qu'une nouvelle information pourrait bien la bouleverser.

Réfléchir, c'est douter, chercher plutôt que savoir. Aller trop rapidement à la solution n'est pas faire montre d'intelligence mais de soumission à un automatisme[1].

Ce n'est peut-être pas un hasard si le gamin à lunettes, celui qui cherche toujours à comprendre, celui qui sait plus de choses que les autres, l'« intello » de la classe est aussi le moins sûr de lui. Si le sensible, le surdoué, le précoce, celui qui est tout à la fois le plus introverti et le plus conscient de son environnement, le plus attentif à ce qui se passe autour de lui et aux conséquences de ses actes, est le plus timoré ; le caïd, lui, refuse de douter, il frappe.

Clairement, la confiance en soi a partie liée avec la conscience. On pourrait presque dire **plus il y a de conscience, moins il y a de confiance en soi**. Quand on ne voit qu'une option, on est sûr du chemin. On avance sans se poser de questions. Quand on perçoit une alternative, on

---

1. On remarque ici des réflexes installés à l'école où les réponses justes sont fréquemment plus valorisées que les questionnements, tâtonnements et les erreurs pourtant heuristiques. Oui, on apprend davantage de ses erreurs ou de ses difficultés, mais qui montre volontiers ses erreurs ou ses difficultés quand il risque de voir baisser sa moyenne ?

hésite un peu. Face à quatre, voire à dix chemins possibles, notre perplexité grandit en proportion. On est de moins en moins certain de faire le bon choix.

Quand on ne connaît pas tous les tenants et les aboutissants d'un problème, il peut paraître facile à résoudre. Quand on envisage sa réelle complexité... on est un peu moins sûr de soi ! C'est d'ailleurs l'une des raisons pour lesquelles les intégristes de tous bords ne permettent pas l'accès à la libre information et réprouvent la lecture d'autres sources que les leurs.

Le niveau d'anxiété des parachutistes novices est nettement plus élevé juste avant le deuxième saut qu'avant le premier [1]. Ils sont plus conscients des risques. Sarah Bernhardt répondait à un jeune comédien qui se vantait de ne pas connaître le trac : « C'est normal, vous n'avez pas de talent. » Le talent, c'est la présence à soi et au public. On a davantage le trac quand on a conscience des enjeux, de la perfection visée. Il est fonction des objectifs, de l'exigence.

Bien sûr, il y a un juste milieu. Le défaut de confiance peut être paralysant. Et quand plus un mot ne peut sortir de votre bouche, le talent est loin. Nous évoquerons dans quelques pages ces cas où la volonté est impuissante. Il est utile de se souvenir **que la crainte de ne pas réussir est plutôt un atout, que le doute est une preuve de conscience vaste, que la peur de se fourvoyer est une manifestation d'intelligence, que la peur de se tromper témoigne de notre solidité.**

Attention, si doute et défaut de confiance en soi sont des conséquences logiques de l'évolution du cerveau et du déve-

---

1. Voir notamment mon livre *L'Alchimie du bonheur*, Éditions Dervy, 1992, rééd. 1998.

loppement de l'intelligence, cela ne condamne pas les intelligents à la paralysie par manque d'assurance; cela ne dit pas non plus que toute personne manquant de confiance en elle est forcément intelligente!

Chapitre 4
Paralysies et jambes de bois

« Je suis sûr que je vais être rejeté. Non, je n'ai jamais essayé, mais j'en suis certain. Ce n'est pas pour moi. » Il vous arrive de prononcer ce genre de phrase ? Quand la peur prend le dessus, la raison ne peut plus rien. Pourtant l'expérience ne vous a pas toujours enseigné l'échec ! L'idée de cette inéluctable faillite est une pure fiction, vous n'avez pas de preuve, mais vous y croyez tout de même...

Impossible de sortir en boîte, de se mesurer aux autres au tennis ou au handball, impossible d'inviter le beau gars (ou la jolie fille) à boire un café, impossible de quitter un emploi insatisfaisant, impossible d'oser accomplir presque tout ce qui vous ferait plaisir, presque tout ce dont vous pourriez avoir envie. Manquer de confiance en soi limite les ambitions, les désirs, les contacts, les relations, la carrière, l'amour...

Le cercle vicieux des croyances

« Je l'admire tellement, je voudrais bien être son ami, mais ce n'est même pas la peine d'y penser, il ne s'intéressera pas à moi, il a déjà tant de gens autour de lui. Je ne lui apporterais rien... », me confie Laurent.

« Je n'y arriverai jamais, je ne suis pas à la hauteur, je n'ai pas les diplômes », argue Yvette pour refuser le poste de responsable de service qu'on lui propose.

Par manque de confiance en eux, Yvette et Laurent se limitent. Ni l'un ni l'autre ne mettent leurs convictions à l'épreuve de la réalité. Comme s'ils avaient absolument besoin de conserver leurs croyances. Pourquoi ne pas tenter sa chance ? Celui qui manque de confiance en lui a peur de ne pas réussir, mais aussi de réussir, ce qui remettrait en cause ses croyances, des croyances auxquelles il tient... Elles lui ont permis de survivre jusque-là sans trop souffrir.

« Il ne peut pas m'aimer, ce n'est pas possible, il se fiche de moi. » Nathalie préfère quitter Marc avant que ce dernier la quitte. Non pas que son amant ait émis quelque doute que ce soit par rapport à leur relation, mais cette séparation paraît inéluctable à Nathalie, évidente, tombant sous le sens, tant elle le trouve « vraiment trop bien pour elle » !

La conviction de Nathalie est forte. Malgré les dénégations non seulement de Marc, mais de ses copines, elle reste convaincue qu'il ne peut l'aimer « pour de vrai ». Elle s'imagine que Marc a une intention perverse en sortant avec elle. Elle croit « voir dans son jeu ». Elle est tellement certaine de ce qu'elle avance qu'elle juge inutile de le soumettre à l'épreuve de la réalité. Elle fait une confiance aveugle à ses certitudes, et elle dit ne pas avoir confiance en elle ! En fait, elle a bien plus peur de vivre l'aventure de l'amour et de la relation que de rompre. Dans la solitude, au moins, elle maîtrise ! La certitude de ne pas pouvoir être aimée est doulou-reuse, mais c'est une douleur connue, identifiable, certaine, donc préférable à ses yeux. Nathalie préfère continuer de saboter ses relations amoureuses en invoquant un manque de confiance en elle, plutôt que de regarder la source de ses croyances négatives sur elle-même. Il est parfois plus facile, bien que tellement douloureux, de déclarer que « personne ne peut m'aimer » que d'oser aller à la recherche de l'origine de ses croyances, au risque de faire remonter à la surface des émotions douloureuses enfouies ; au risque de découvrir qu'une seule personne n'a pas su l'aimer, une seule, mais tellement importante : votre maman ! La mère de Nathalie ne supportait pas l'intimité. La tendresse, les caresses et même l'écoute lui étaient étrangères. Elle s'est peu préoccupée de ce que sa fille pouvait vivre et ressentir. Nathalie a subi cette carence. Pour se l'expliquer, elle en a déduit qu'elle n'était pas aimable, plutôt que d'oser penser que sa maman ne l'aimait pas. La mère de Nathalie lui a laissé croire que personne ne pouvait l'aimer plutôt que de lui avouer ses difficultés personnelles liées à l'intimité.

Nous projetons volontiers sur les gens que nous croisons aujourd'hui les émotions de notre enfance et/ou les réactions de nos parents à notre égard.

Le manque de confiance en soi apporte de nombreux bénéfices inconscients : il justifie la passivité, permet la confirmation des croyances négatives sur soi et les autres, nous empêche de sentir nos vraies souffrances et, enfin, « protège » les parents de toute remise en cause de leur attitude éducative.

Une vie de rêve

Yolande rêve d'une autre vie. Assise à son poste, elle s'imagine arpenter le parquet d'une salle de danse baignée de soleil, distribuant conseils et encouragements aux petits rats en exercice. Elle se voit professeur de danse entourée d'enfants en justaucorps et tutu. On ne peut pas dire que son travail de bureau soit pénible, pas assez probablement pour qu'elle le quitte. Mais elle ne l'aime pas vraiment. Elle rêve de ce qu'elle aurait aimé faire. Elle caresse l'idée d'un changement... Mais elle ne se renseigne pas, ne cherche pas à évaluer la faisabilité de son projet. Ce n'est d'ailleurs même pas un projet. Paralysée par ses craintes jusque dans ses pensées, elle n'ose pas y réfléchir sérieusement.

Nombre de gens, comme Yolande, rêvent toute une vie au métier dans lequel ils s'épanouiraient, sans bouger d'un bureau où ils s'ennuient ferme, quitte à déprimer, à prendre des antidépresseurs, des somnifères. « Ce n'est pas pour moi » ou « Je ne suis pas capable » : leurs croyances sont si fortes qu'ils n'envisagent pas de les remettre en cause.

Décrit par Éric Berne, le père de l'Analyse Transactionnelle, le jeu de la « jambe de bois » consiste à invoquer une incapacité pour dissimuler les véritables raisons de notre passivité. « Je ne peux pas aller danser, j'ai une jambe de bois. » La personne justifie ainsi ses peurs. En réalité, si elle n'avait pas de jambe de bois, elle n'irait pas danser davantage. Elle a peur de danser, peur de la relation intime, de la proximité que la danse implique. Mais il n'est pas facile de reconnaître ses peurs. Le jeu de la jambe de bois ôte à la personne toute responsabilité face à sa passivité : « Ce n'est pas que je ne veuille pas, je ne peux pas ! »

Certains invoquent la génétique, ils seraient « nés comme ça ». Il est si difficile de distinguer l'inné de l'acquis que la question ne sera jamais tranchée. Et est-ce utile finalement de la trancher, tant les généticiens insistent sur l'importance de l'environnement pour expliquer l'émergence de tel ou tel trait génétiquement programmé ? Ce qui est dans le programme n'est pas forcément actualisé. En d'autres termes, si la génétique nous prédispose, elle n'impose pas. Nous avons tendance à justifier notre manque d'aisance par une étiquette « je n'ai pas confiance en moi », comme si c'était un trait inévitable de notre personnalité. « Si j'ai du mal à m'affirmer, c'est à cause de mon histoire », nous invoquons les traumatismes de notre enfance. Comme si le présent, les conditions extérieures, l'environnement ne revêtaient pas aussi leur importance... Les causes de la perte de confiance sont multiples et complexes.

Avouons-le, « je n'ai pas confiance en moi » est une jambe de bois bien commode. Derrière cet argument massue, nous cachons nos peurs, nos frustrations et parfois nos colères.

« Quand j'aurai confiance en moi... »

Que de changements n'opérerons-nous pas quand... nous n'aurons plus cette jambe de bois ! Osons regarder la vérité : « Je n'ai pas assez confiance en moi pour quitter mon mari » veut en fait dire : « J'ai peur toute seule », « Je n'ai pas envie de renoncer au confort matériel dont je bénéficie tant que je vis avec lui » ; ou encore : « Je ne veux pas donner raison à mes parents qui m'avaient prédit que ce n'était pas un homme pour moi. »

Mais ces raisons sont moins honorables. Il est beaucoup plus confortable, même si cela donne une piètre image de nous, de laisser penser que c'est le simple manque de confiance en nous qui nous maintient dans cette situation. Nous posons sur notre tête une auréole de victime. Les autres nous prennent alors en pitié et ne nous jugent pas. Seulement voilà, à force de nous raconter des histoires, nous y croyons nous-même ! Invoqué en guise de justification, pour s'excuser aux yeux d'autrui de ne pas agir, le manque de confiance en soi peut devenir un refuge. On s'abrite derrière pour fuir...

Oui mais...

Voici un autre jeu de victime décrit par Éric Berne.

– Pourquoi est-ce que tu ne... (nous proposons une solution).

– Oui, mais... (dénigrement de la solution, qui est dite impossible, irréaliste, déjà tentée...).

– Pourquoi est-ce que tu ne...

– Oui mais...

Jusqu'à ce que la personne qui cherchait à aider s'exaspère : « Oh reste comme tu es, j'en ai assez ! » La victime peut alors dire : « Décidément, personne ne peut m'aider, mon problème est vraiment insoluble. » Elle confirme ses croyances négatives sur elle-même et sur sa situation désespérée. À toutes les propositions de solution vous répondez « oui, mais... » ? Vous n'avez probablement pas encore décidé de faire face à la situation. Pour regagner de la confiance en vous, vous devez avoir fait le deuil de cette jambe de bois et de ses avantages inconscients... Le but de ce jeu destructeur ? Confirmer nos croyances négatives sur nous-même, sur les autres et sur le monde.

Mon manque de confiance, j'y tiens !

Pas faux ! Nous étayons notre manque de confiance sur un certain nombre d'idées telles que : « je suis nul(le) », « je suis moche », « je ne suis pas intéressant(e) », « je ne suis pas capable, personne ne peut m'aimer ». Nous y croyons dur comme fer. Et d'ailleurs, le plus souvent, nous avons des preuves ! Nous voyons nos croyances confirmées jour après jour, sans nous rendre compte de notre complicité inconsciente... Moi, complice ? Mais non, je ne le fais pas exprès, j'en souffre ! Et pourtant... Vos croyances sont à la base de comportements qui ne sont pas sans effet sur autrui. Fidèle à vos croyances, vous vous comportez de manière à les voir se confirmer.

Persuadé d'être nul, vous trouvez inutile de lever la main quand le patron présente une mission complexe. Et s'il vous la propose tout de même, vous déclinez l'offre, convaincu de son désir de vous humilier. Si malgré tout vous vous engagez à réaliser la mission, persuadé de votre nullité, vous l'accomplirez avec désinvolture : à quoi cela sert-il de faire attention puisque de toute façon ce sera nul, ou chargé de tant d'angoisse et de tensions que vous risquez de multiplier les erreurs ? Vous ne serez donc pas félicité pour ce travail, ce qui vous confirmera dans votre incompétence. Et si vous réussissez malgré tout la mission, vous aurez tendance à la dévaloriser – « ce n'était pas si difficile que cela, n'importe qui aurait pu le faire », « c'était un travail de subalterne » ou « j'ai été très aidé » – pour être certain de ne pas vous attribuer un mérite qui viendrait infirmer vos croyances.

Convaincu de ne pouvoir être aimé, vous n'allez pas vers les autres, encore moins s'ils sont de l'autre sexe. Vous attendez que les autres viennent à votre rencontre. Si quelqu'un s'approche... Panique ! Il va se rendre compte combien vous êtes vide et peu digne d'intérêt... Oui, c'est stupéfiant et quelque peu paradoxal. Nous crevons d'espoir que quelqu'un enfin s'intéresse à nous, et nous restaure dans notre sentiment de confiance. Et quand c'est enfin le cas, c'est la fuite éperdue ! Comme si nous faisions tout pour conserver notre manque de confiance.

Stop ! Regardons les choses en face. Notre entourage ne réagit pas tant à notre personne qu'à nos comportements et attitudes. Modifions-les, leurs réactions seront en conséquence. C'est le retrait que nous manifestons qui écarte les autres, et non notre manque d'intérêt.

« C'est toujours pareil, je fais confiance, j'y crois et puis je suis trahie. Je me retrouve souvent rejetée. » Geneviève souffre. Observons-la pour comprendre ce qui se passe : tellement désireuse de se faire accepter, elle prend souvent la parole, mais il est difficile de l'écouter ! On lui pose une question, elle répond longuement et à côté de la plaque. En fait, craignant de ne pas être comprise, elle commence par expliquer le contexte, les tenants et les aboutissants. L'interlocuteur est envahi d'informations dont il ne sait que faire. Comme elle ne le regarde pas dans les yeux, elle ne voit pas qu'il fronce les sourcils, manifestant ainsi son incompréhension. Mettez-vous à la place de l'interlocuteur. Non seulement il n'a pas de réponse directe à sa question, mais il a déclenché une logorrhée qu'il ne sait pas arrêter, dans laquelle il n'a pas d'espace. Et Geneviève ne le regarde pas : il ne se sent pas exister dans la relation ! Bien sûr, il ne va pas prendre le risque de poser une autre question, il prend ses distances [1].

Par nos comportements, nous sommes responsables de notre réalité. Mais il n'est pas toujours simple de modifier ses comportements, de remettre en cause ses croyances et de reprendre confiance en soi. Nous butons sur notre passé, ou parfois sur les circonstances et notre entourage présent.

Pour mieux nous libérer, regardons quelles blessures sont tapies derrière notre manque d'assurance.

---

1. Vous trouverez p. 152 le tableau du circuit autorenforçant des croyances.

DEUXIÈME PARTIE

D'OÙ ÇA VIENT ?

Le manque de confiance en soi a des origines variées. Comportement adaptatif, il est une réponse à un environnement, à une situation. Certaines blessures sont évidentes : souffrances de l'enfance, messages dévalorisants de nos parents ou d'enseignants, insultes et rejets par nos pairs à l'école. D'autres sont plus subtiles et passent inaperçues. Identifier la source de l'humiliation est déjà un pas pour en guérir. Comprendre aide à mettre en perspective, à relativiser, et surtout à voir que tout ne vient pas de soi.

Ainsi la confiance de nos enfants ne dépend pas que de nous. Elle peut être bousculée par un événement traumatique au collège, par un accident, une agression extérieure. Nous ne sommes pas tout-puissants ni sur leur sécurité, ni sur leur bonheur, encore moins sur les interprétations de leur psychisme, mais nous avons tout de même un rôle fondamental dans la construction de leur confiance en eux. Nous pouvons rester attentif à nourrir chaque étape de leur croissance de messages positifs et leur fournir l'environnement affectif, intellectuel et social dont ils ont besoin.

CHAPITRE 1
UNE RÉACTION
FACE À LA SOUFFRANCE

Vous ne savez pas répondre aux questions... Vous n'êtes pas clair dans vos explications. Vous vous emmêlez dans vos phrases, vous êtes confus, vous vous contredisez... La tentation est grande d'invoquer un défaut de confiance en vous. Les psychologues Michelle Cormer et Joseph Forgas, de l'université de Sydney, ont mis en place une expérience démontrant qu'il s'agissait d'une réaction naturelle face à la souffrance.

On présente à un premier groupe de volontaires une émission comique. Le second groupe visionne un film dans lequel une mère meurt d'un cancer au milieu de ses enfants. On teste ensuite leur expression verbale dans une situation délicate : donner son avis à un ami à propos de la façon dont il a présenté un projet devant un public d'experts. Cet ami ayant fait une mauvaise présentation, il faut donc trouver les bonnes formulations pour lui conseiller d'améliorer tel ou tel point, sans pour autant le décourager.

Les personnes ayant vu l'émission comique s'en sont très bien sorties et lui ont expliqué clairement la situation. Les autres ne trouvaient pas leurs mots. Ils se contredisaient, observaient de nombreux temps morts, commettaient maladresse sur maladresse, revenaient sur leurs affirmations... Et ce, même lorsqu'ils niaient avoir été affectés par le film !

Vous venez de traverser une situation difficile ou vous avez été en contact avec des scènes pénibles ? Votre expression face aux autres va en pâtir. Votre cerveau est doté d'une instance de protection automatique qui vous invite à fuir la confrontation avec autrui. Quand cette réaction de protection s'installe, nous disons manquer de confiance en nous. **Vous contredire, être confus dans votre pensée et vous montrer peu clair dans vos paroles ne signifie rien quant à votre personnalité. C'est un réflexe naturel face à la souffrance.** Si cela vous arrive trop souvent, cela signifie seulement qu'il y a ou qu'il y a eu un peu trop d'événements difficiles dans votre vie. Ce sont ces blessures qui sont à guérir et non le « manque de confiance ».

Si les symptômes durent au point de devenir des définitions de vous-mêmes – « je suis confus », « je ne sais pas m'exprimer », « je suis bête », « je ne sais jamais répondre aux questions » –, considérez votre histoire. Peut-être n'avez-vous pas encore pu évacuer toutes les émotions, toutes les images douloureuses de votre enfance ? Sachant que la simple vision d'un film de quelques minutes suffit à modifier la fluidité de notre pensée et l'aisance de notre langage, il paraît naturel et normal qu'une personne maltraitée dans son enfance ait du mal à parler et à penser clairement !

Léana était une excellente élève. Elle ne se souvient pas avoir été directement humiliée par son institutrice de primaire, mais elle a été témoin des maltraitances infligées par cette dernière aux autres élèves, et à son frère notamment, qui était dans la même classe. Elle a aujourd'hui vingt-huit ans et n'ose pas prendre la parole en réunion. Si elle doit parler, elle est confuse, rougit, ne sait plus ce qu'elle doit dire. Dès qu'elle est en groupe, situation rappelant la classe, elle est mal à l'aise et a envie de partir, au point qu'elle ne peut manger en présence d'autres personnes. Se dire qu'elle « manque de confiance en elle » ne l'aide pas du tout et lui évite de se poser la vraie question : « Qu'est-ce qui se passe en moi quand je suis dans un groupe ? » En revanche, identifier que son malaise était lié à l'émergence d'émotions réprimées – la peur, la douleur et surtout la colère contre cette femme – éclaire les choses d'une tout autre lumière et offre des pistes de libération. Après avoir raconté son histoire, reçu l'empathie des membres du groupe et exprimé sa colère à l'encontre de sa maîtresse d'autrefois, Léana a pu prendre part au repas collectif.

Votre petit Cédric sort du cinéma ou vient de regarder une série télé particulièrement violente ? Faites-le parler. Plus il raconte, moins l'impact des images aura de force. En en parlant, il reprend le pouvoir sur ce qu'il a vu. Vous éviterez les cauchemars !

Votre fille Céline revient de l'école plus silencieuse que d'habitude ou manifestement perturbée ? Prenez le temps de l'écouter, d'entendre ce qui s'est passé et, surtout, d'écouter ses réactions face à ce qu'elle a vu ou ce qu'elle a subi. Qu'a-t-elle ressenti ? Que s'est-elle dit ?

Que l'événement traumatique ait eu lieu à l'école, dans la rue, chez grand-mère ou chez vous, que l'agresseur soit un inconnu, une copine, un oncle, le papa, écoutez sans juger, sans faire de commentaire, sans chercher à rassurer. Écoutez-la dire tout ce qu'elle a sur le cœur. Reflétez ses sentiments : « Tu as eu vraiment très peur quand... » Montrez-lui que vous éprouvez ce qu'elle vit.

C'est ce dont vous auriez eu besoin enfant. Pourquoi ne pas vous le donner intérieurement ? Vous, l'adulte d'aujourd'hui, soyez le parent que vous n'avez pas eu ce jour-là. Écoutez les émotions de l'enfant en vous.

CHAPITRE 2
AUTOMATISMES ACQUIS

Dans le fond de la salle, une personne ne s'est pas encore présentée. Julie prend la parole. « Bon, il va bien falloir que je parle. » Immédiatement, elle rougit, elle regarde par terre. Au bout de quelques mots, elle fond en larmes. « Je n'arrive jamais à parler. » Julie est si timide. Elle n'ose pas parler devant un groupe. Que lui est-il arrivé pour qu'elle réagisse ainsi ?

Un enfant ne naît pas avec un manque de confiance. Si les réactions de soumission et de peur sont génétiquement programmées, elles ne deviennent une habitude, voire un caractère, que lorsque l'enfant a appris à avoir peur de certaines situations. Son cerveau déclenche alors les phénomènes physiologiques et psychologiques appropriés à ce qu'il interprète comme ressemblant à la situation traumatique du passé. Selon l'accueil que vont lui faire ses parents, les différents adultes à qui il sera confié, mais aussi ses pairs, selon les expériences que l'enfant sera amené à vivre, il va intégrer ou non une bonne dose de confiance en lui, c'est-à-dire qu'il va savoir ne déclencher ses réactions de retrait que dans les circonstances qui le nécessitent vraiment.

Quand vous percevez des réactions de retrait excessives ou déplacées chez vos enfants, permettez-leur de s'exprimer. Il y a l'intention de l'adulte et le vécu de l'enfant. L'un ne rencontre pas forcément l'autre. Écoutez-le. Comment vit-il la situation ? Comment se sent-il accueilli, aimé, accompagné ?

Quand un enfant est frappé, insulté, humilié, dévalorisé ou ignoré, il a tendance à culpabiliser. Son cerveau, encore immature, ne lui permet pas de penser des causes à l'extérieur de lui. Il ne sait pas que maman n'arrive pas à l'aimer parce qu'elle n'a jamais connu l'amour, que papa a blindé son cœur, il y a longtemps déjà, bien avant sa naissance. Et puis, comment peut-on imaginer qu'un parent soit incapable de nous aimer ? C'est très menaçant, dangereux. Tous les enfants ont besoin de croire leurs parents aimants et protecteurs. L'enfant préfère imaginer que s'il était meilleur, s'il était sage, s'il était différent, il serait aimé. Sa conclusion est donc : « Si mon papa ne m'aime pas, c'est donc que je ne suis pas aimable, pas intéressant, pas bien. »

Un enfant a confiance en ses parents, aveuglément confiance. Si ces derniers disent qu'il est idiot, maladroit, lent, il les croit, hélas ! Il n'est pas capable de déceler les projections de ses parents sur lui.

Même si, de manière générale, vous êtes beaucoup plus tendre, aimant et attentif envers votre progéniture que vos parents, quand vos mots dépassent votre pensée ou quand, sous le coup de l'exaspération, un jugement veut sortir de votre bouche – « Tu es... » –, interrompez-vous dès que possible, respirez un grand coup, exprimez votre colère en termes non destructeurs de sa confiance : « Je suis très mécontent... Je ne veux pas... J'ai besoin... » N'hésitez pas à vous excuser quand les mots sont partis plus vite que vous ne l'auriez voulu. Mieux vaut reformuler un peu tard que jamais !

Si, au début, l'utilisation des messages « je » plutôt que des messages « tu » semble ardue et demande de l'attention, le changement d'atmosphère et le fait que nos enfants nous écoutent davantage apportent un tel plus que le pli se prend vite.

Votre enfant a tendance à dire « je suis nul » ? Reformulez en précisant : « Tu n'as pas réussi cet exercice... » « Tu es malheureux parce que ta copine a préféré sortir avec Marc... »

Aux blessures de l'enfant s'ajoute l'interdit d'exprimer de la colère envers un parent. Être frappé, puni, humilié, enfermé, nié fait mal. Pour réparer son sentiment d'intégrité, l'enfant devrait pouvoir exprimer de la colère, crier à l'injustice. Quand on lui interdit de manifester sa colère, il doit réprimer non seulement sa colère, mais aussi la conscience de la blessure, d'autant qu'on lui dit volontiers que c'est « pour son bien ». **La négation du droit à la colère et du droit à sentir ce que l'on sent jette les bases du défaut de confiance en soi.**

Permettez à vos enfants d'exprimer leur colère. Montrez-leur que quelle que soit son intensité, leur colère n'a pas le pouvoir de vous détruire. Organisez de temps à autre des batailles de coussins pour permettre à l'agressivité de sortir sans risque.

La décision « je ne suis pas aimable, pas intéressant... » est une décision de survie. Elle permet à l'enfant de continuer à vivre avec ses parents sans trop de peur. C'est la raison pour laquelle nous tenons tant à nos croyances négatives, même devenus adultes. Les remettre en cause signifierait retrouver des émotions refoulées depuis bien longtemps : la souffrance, la terreur, le dégoût, la fureur devant les attitudes consciemment ou inconsciemment maltraitantes de nos parents.

Faute d'avoir pu libérer ses émotions, et d'avoir pu mettre des mots sur l'expérience, le cerveau de l'enfant installe des automatismes de protection face à certaines personnes ou situations. Un groupe se moque de moi? Plus tard, toute situation en groupe suscitera une réaction physiologique d'insécurité. Mon parent m'humilie ou me terrifie? Adulte, face à une figure d'autorité ou à une personne dont je serai dépendant, j'aurai encore une réaction de peur, souvent qualifiée d'instinctive bien qu'elle ait été apprise.

CHAPITRE 3
L'EXCLUSION

Lorsqu'une personne est exclue d'une communauté, un début d'état dépressif s'installe en elle en quelques minutes ! Oui, vous avez bien lu, quelques minutes. Des psychologues l'ont montré au cours de multiples expériences [1]. Il y a une dizaine d'années, des chercheurs avaient observé qu'il suffisait de quatre minutes à une personne exclue d'un jeu de ballon (ses camarades jouaient entre eux sans lui passer la balle) pour qu'elle se renfrogne, se tasse dans un coin et n'adresse plus la parole aux autres. Un groupe de psychologues australiens a affiné cette recherche. Il a été proposé aux volontaires de jouer en réseau à un jeu vidéo. Il s'agissait d'un jeu de balle à trois. Au bout de quelques coups, on demande à deux des joueurs de ne plus envoyer la balle au troisième. Après six minutes de jeu, les trois participants remplissent des questionnaires évaluant : le sentiment d'appartenance à un groupe, l'impression d'exercer un impact sur une situation, l'estime de soi et le sens attribué à l'existence.

Le joueur exclu se sent inutile. Il croit que les autres le jugent non aimable et ne l'apprécient pas. Il tend à se renfermer sur lui-même ; mais, plus grave, il a tendance à généraliser cette situation à tous les aspects de sa vie ! Si un jeu de

---

1. Voir le numéro 7 de *Cerveau et Psycho*, septembre-novembre 2004.

balle de quelques minutes avec deux inconnus peut déclencher une telle réaction, on comprend mieux ce qui se passe pour une personne rejetée, exclue ou simplement isolée de son réseau d'amis, de son entreprise, de la société.

Les chômeurs sont dans cette situation. Même rebaptisés « demandeurs d'emploi », ils se vivent « chômeurs ». On peut comprendre qu'une personne licenciée pour faute se sente coupable, mais un peu d'observation montre que même ceux dont le motif de licenciement est purement économique ont tendance à se dévaloriser et à déprimer. Ils perdent confiance en eux et se sentent inutiles. Et ce, alors que ni leur personnalité ni leurs compétences n'ont été remises en question.

Dans une autre expérience, un psy demande à des individus d'observer à travers un miroir sans tain le travail de deux personnes et de l'évaluer. Ces deux personnes, des complices, effectuaient rigoureusement la même tâche, de la même manière. Avant que les sujets émettent leur évaluation, on leur précisait que le laboratoire n'avait pas assez d'argent pour payer ces deux personnes. On avait tiré au sort et l'expérimentateur leur désignait le malchanceux. Résultat ? Malgré l'information claire sur le caractère totalement arbitraire de la décision, les sujets ont évalué le travail de celui qui ne serait pas payé comme inférieur à celui de l'autre ! L'individu chanceux, choisi par hasard, ne pouvait que mériter son sort heureux, et donc la malchance n'avait pas frappé au hasard ! Les sujets ont estimé le malchanceux responsable de son état.

Nous voyons comment notre exigence de justice peut nous conduire à être injuste ! Notre besoin de voir une justice dans l'existence nous amène à nous attribuer une responsabilité dans ce qui nous arrive, même lorsque nous n'en avons aucune. « Un malheur n'arrive pas par hasard », nous en sommes intimement convaincus. Dans la même veine : « Une personne est harcelée dans son entreprise parce qu'elle est faible, une femme se fait violer parce qu'elle l'a bien cherché, un homme se retrouve au chômage parce qu'il n'était pas compétent... » Ces croyances isolent le malheureux et bien entendu altèrent pour de bon sa confiance en lui.

France était une petite fille heureuse, bien dans sa peau, au collège elle avait des copines. Lors de son passage au lycée, ses parents ont déménagé, elle est arrivée à l'internat avec quelques jours de retard. La directrice l'a introduite dans sa classe par ces mots : « Voici la nouvelle. » Puis, s'adressant à elle : « Votre pupitre est là, allez vous asseoir, rangez vos affaires. » France a soulevé délicatement le couvercle du pupitre en bois, a sorti livres et cahiers de son cartable et les a rangés dans un silence qui lui a paru une éternité. Aucune enfant n'est venue la voir à la récréation. Aucune ne pouvait établir de relation avec elle. Tout d'abord « la nouvelle » venait de vivre une expérience douloureuse, humiliante. S'approcher d'elle, c'eût été risquer la contagion... Et elles avaient été témoin de sa souffrance sans rien dire, elles en étaient gênées. D'ailleurs, pour être traitée ainsi, cette fille devait avoir fait quelque chose de mal. Elle commençait son année en retard, elle était différente.

Dans un milieu où règne l'insécurité, on se protège d'abord soi. Depuis la rentrée, elles avaient constitué quelques alliances, elles n'allaient pas risquer de les rompre pour intégrer une inconnue de statut si bas. Aller vers une personne au niveau hiérarchique inférieur est vécu comme dangereux. La placer en situation de bouc émissaire était en revanche rassurant et permettait d'augmenter la cohésion du groupe. Pour réguler ces mécanismes psychosociaux inconscients, l'intervention d'un tiers est nécessaire. Aucun adulte n'étant intervenu pendant les trois ans de scolarité de France pour l'aider à gérer la situation, ou pour permettre au groupe d'accéder à une plus grande maturité, l'adolescente a enduré l'isolement jusqu'au bac. Vingt ans plus tard, elle manquait encore totalement de confiance en elle, cherchait à passer inaperçue, conservait l'idée de ne pas être intéressante, de ne pas avoir le droit d'être là. Elle n'avait jamais osé en parler à qui que ce fût, convaincue qu'elle était « mauvaise ». La libération a été spectaculaire quand enfin elle a osé en parler, quand elle a pu, avec le soutien de sa psychothérapeute et du groupe, identifier la responsabilité de la directrice et le processus psychosocial dont elle avait été victime. Ce n'était pas elle qui était « la mauvaise ». Elle n'avait plus à baisser la tête, elle était susceptible d'être appréciée.

France avait quinze ans, elle était en seconde. Une expérience de rejet à l'école marque durablement un enfant, même adolescent ! Il serait bon que notre système éducatif soit davantage attentif à protéger nos enfants de ce danger. « Nous ne sommes pas là pour éduquer », disent certains. Mais pas là non plus pour nuire. L'attitude de la directrice de l'internat a directement induit le rejet de France par ses camarades. Certes, c'était il y a trente ans, mais les enseignants d'aujourd'hui sont-ils toujours attentifs à donner du temps aux enfants pour se parler[1] ? Sont-ils toujours attentifs aux relations des enfants entre eux suite à une de leurs réflexions ou à une mauvaise note ? Sont-ils conscients des mécanismes biopsychosociaux que leur attitude induit dans le groupe-classe ? Leur formation ne comprend hélas pas encore ce type d'information.

Sortons de l'idée que si une personne est exclue, c'est parce qu'elle est fautive, a eu une enfance difficile, et a de « bonnes

---

1. Les enfants, comme les adultes, se sentent plus en sécurité quand ils ont parlé d'eux, et ont pu écouter les autres parler d'eux. Un temps en début d'année pour se présenter les uns aux autres, dire ce qu'ils aiment dans la vie, ce qu'ils attendent de l'école et des autres, ce dont ils ont peur, les aiderait à se sentir en sécurité dans l'école.

raisons » de se retrouver au ban des autres. S'il est parfois vrai qu'une victime l'est parce qu'elle n'a jamais appris à se défendre mais au contraire a l'habitude de se trouver victime, cela ne l'est pas toujours. Une exclusion peut survenir à n'importe quel moment pour des raisons extérieures.

Toute modification de statut peut aussi être vécue comme un rejet et entraîner une perte de confiance. Il est intéressant de savoir qu'il y a un rapport entre la position sociale et l'estimation de la taille. Plus une personne a d'autorité, plus elle est perçue comme grande physiquement! Plus sa position est élevée, plus grand est l'écart entre sa taille réelle et celle estimée par les autres! Il est logique de se vivre petit quand on est au bas de l'échelle!

La retraite, un congé sabbatique, voire un changement de poste en termes de moindre responsabilité et surtout moins de contacts sont aussi susceptibles de provoquer ce type de réaction brutale de dévalorisation. Céline l'a vécu alors qu'elle a décidé elle-même de se retirer d'une responsabilité. Directrice d'école, elle se sentait utile. Elle était écoutée, cela la valorisait. Ayant acquis beaucoup de confiance en elle grâce à ce poste, elle proposa de faire tourner la responsabilité de la direction dans l'équipe. La tâche étant lourde en termes de temps, elle désirait être plus disponible pour ses enfants. Mais, très vite, sans son costume de directrice, elle a perdu confiance en elle.

Cette dévalorisation de soi étant tellement irrationnelle, on peut en déduire que la réaction est automatique, naturelle. Les psychologues de l'université de Sydney, en Australie, ont réitéré l'expérience du jeu de balle en réseau, mais en substituant deux ordinateurs aux joueurs. Ainsi le sujet est exclu par des machines, programmées, donc dépourvues de toute intention. La personne en est informée dès le début de l'expérience. Malgré cela, elle réagit exactement de la même façon.

Son humeur se dégrade, son estime d'elle-même se délite et l'existence perd son sens.

Vous imaginez cela ? **L'existence perd son sens parce qu'un ordinateur ne joue pas avec vous pendant quatre minutes ? Ces expériences montrent que les réactions à l'exclusion sont inconscientes et plus fortes que tous les raisonnements rassurants que l'on peut tenir sur sa valeur personnelle.**

Imaginez ce qui se passe quand ce sont vos parents qui vous rejettent ! Quand vos parents vous montrent que vous êtes de trop ! Et ce, des années durant !

Est-ce à dire que nous ne devons jamais refuser à nos enfants de jouer avec eux ? Non, bien sûr. Mais la parole est importante. C'est une chose de dire « Non chéri, pas tout de suite, je suis occupée, je termine et je viendrai après », et une autre de se contenter de dire : « Qu'est-ce que tu as à m'embêter tout le temps ! Allez, va jouer. »

Vous commencez à percevoir les causes possibles de vos difficultés ? Avez-vous vécu une situation de rejet, de dévalorisation, de chute sociale ? Comment avez-vous traversé l'épreuve ? Avez-vous pu en parler à quelqu'un ? Avez-vous été soutenu ? Avez-vous guéri cette blessure ou est-elle encore active en vous ?

CHAPITRE 4
HARCÈLEMENT ET BRIMADES

Vous êtes mal dans votre peau? Vous faites de plus en plus d'erreurs au point de perdre confiance en vos capacités. Vous avez de plus en plus souvent mal au ventre ou à la tête... Seriez-vous victime de harcèlement?

Le harcèlement moral a ceci de spécifique qu'il est difficile à identifier tant il est insidieux. Au début, une remarque anodine, un sous-entendu, rien de bien grave en apparence. Si la victime réagit, elle est taxée de susceptibilité exagérée. Les remarques se font de plus en plus désobligeantes, les dévalorisations plus appuyées. Quand la victime se plaint, elle est moquée. Alors, elle ne dit plus rien. D'autant qu'elle a tendance à se sentir coupable : « Il n'y a pas de fumée sans feu. » « Ce n'est pas par hasard que ça tombe sur celui-là. » Ces préjugés, nous l'avons vu, contribuent à donner du pouvoir à l'agresseur.

On parle de plus en plus du harcèlement moral en entreprise. On n'ose pas encore poser le mot dans le milieu scolaire ou dans la famille. Pourtant, il s'agit bien du même phénomène. Quoique à l'école, au collège et dans la famille, le harcèlement infligé par des adultes, mais aussi par d'autres enfants, ne se limite hélas pas au moral. Coups, menaces, brutalités diverses contribuent à installer la victime dans la terreur.

Les Anglais nomment *bullying* cet acharnement d'un écolier contre un autre qui se fait rudoyer, intimider, brutaliser et parfois racketter. Il est vrai qu'un enfant plus doux, plus tendre, plus fragile physiquement ou handicapé est une victime facile, donc plus volontiers choisie par un agresseur. Mais est-ce bien de sa responsabilité ? Et puis, un peu d'attention nous permet d'observer que le harcèlement tombe aussi sur des enfants tout simplement différents, plus brillants, plus doués, mieux habillés. En regardant mieux encore, on peut constater que n'importe qui peut être visé. Le harcèlement commence par une toute petite phrase à peine méprisante, une poussée légère sur l'épaule... pas grand-chose ! Si la victime se rebelle, l'agresseur peut aisément nier toute intention négative. Les témoins n'interviennent pas ? Ayant obtenu leur permission tacite, le persécuteur augmente graduellement les agressions.

Cela peut arriver à n'importe qui. Toutefois, quand on a été victime, une fois, de brutalités, on court davantage le risque de l'être à nouveau. La colère réprimée crée une légère dépression dans la poitrine, l'habitude est prise de recevoir des coups sans broncher...

Certains enfants sont harcelés au sein de leur famille, par un frère, une sœur, ou même par un de leurs parents, voire les deux. La blessure est encore plus profonde. L'enfant n'a nulle part où se réfugier. Ses parents, ceux-là mêmes qui devraient le protéger, être son réconfort, l'agressent, le blessent...

CHAPITRE 5
INCOMPRÉHENSION
DEVANT NOS LIMITES

2 sur 20, 4 sur 20, 3 sur 20... Chaque distribution de copies l'humilie davantage. Charles n'arrive pas à comprendre comment les autres s'y prennent pour obtenir de bonnes notes. Il fait tant d'efforts pour tenter de mémoriser l'orthographe ! Les autres n'ont pas l'air de mettre autant d'énergie et pourtant ils y parviennent.

Le problème de Charles se nomme dyslexie. Les lettres d'un mot dansent dans sa tête, il les voit en trois dimensions et ne sait pas comment les placer en deux dimensions sur le papier parce que personne ne lui a appris à organiser les informations que son cerveau lui délivre[1]. Sa mère a beau lui répéter que ce n'est pas grave, qu'il n'y est pour rien et même qu'Albert Einstein et Léonard de Vinci – excusez du peu – étaient eux aussi dyslexiques, Charles ne voit que son incapacité à rendre une dictée sans fautes. Il a un cerveau différent des autres, il le sent bien. Mais comme personne ne lui a expliqué en quoi ce cerveau pouvait être intéressant, il se sent inférieur. D'ailleurs, la preuve : il obtient des notes lamentables. On comprend que Charles n'ait pas confiance en son

1. Ronald D. Davis, *Le Don de dyslexie*, Desclée de Brouwer, 2002.

orthographe, c'est naturel. Malheureusement, il a tendance à généraliser ce défaut de confiance à toute sa personne, du fait de cette accumulation de notes désastreuses inscrites sur son livret, comme si elles l'évaluaient lui et non ses dictées, mais aussi par ce simple fait de ne pas y arriver alors qu'il y met pourtant de l'énergie, sans comprendre sa différence.

Un enfant qui ne réussit pas à faire ce que les autres font en apparence facilement se sent moins bien que ses copains. Certains ont un handicap physique, ils peuvent au moins identifier la cause de leurs difficultés. Beaucoup ont un handicap invisible, un problème de maturation de neurones[1], de sécrétion de neuromédiateur, de défaut de l'enzyme capable de casser telle ou telle protéine...[2]. Leurs troubles sont invisibles aux yeux de la plupart des adultes, et donc *a fortiori* des leurs. Pire, leurs symptômes sont souvent interprétés comme des marques d'insoumission. Ils sont punis. Comme si c'était leur faute. Comme s'ils le faisaient exprès... Ils se balancent sur leur chaise et sautent sur les plots des trottoirs pour stimuler leur oreille interne déficiente : les adultes ne voient qu'agitation et désobéissance. Ils pressent sur leur crayon désespérément pour tenter de maintenir sur la feuille un bras qui semble doté d'une vie propre : on leur demande d'appuyer moins fort sans les aider à coordonner les mouvements de leurs yeux et de leurs bras. Le bruit désorganise leur cerveau et on les accuse de ne pas se concentrer. Ils sont hyperactifs, violents, nerveux, ou excessivement rêveurs, ils font pipi au lit, ou ont du mal à se représenter ce que les autres éprouvent... Ils ne récoltent que réprobation. Ils géné-

---

1. Marie-Claude Maisonneuve est créatrice de la neurophysiologie appliquée aux troubles du développement. Son association : « Grandir », 01 30 53 25 45.

2. Sur les intolérances alimentaires et leur impact sur le comportement et la psyché, voir, entre autres, le site www.filariane.org

ralisent leur difficulté et perdent confiance en eux. Pourtant, apprenant à maîtriser leur cerveau, accomplissant quelques exercices restaurant le cours de la maturation neuronale, ils se révéleraient tout aussi intelligents, calmes et posés que leurs copains.

Nombre de comportements répétitifs ne dépendent pas de la volonté de l'enfant, ni de l'adulte d'ailleurs, car ces troubles poursuivent les adultes longtemps quand ils ne sont pas diagnostiqués et traités. Mais les grands « font avec », ils ont appris à gérer... Et ils ne sont plus notés.

Les enfants dit surdoués, ou précoces, se vivent aussi comme différents. Si certains ont de bons résultats scolaires, d'autres sont en grave échec. Du fait notamment de la méthode pédagogique dite frontale (le professeur parle devant les élèves qui écoutent) encore massivement utilisée malgré les preuves de sa contre-productivité. L'école a du mal à intégrer les enfants hors normes, qu'ils dépassent par « le haut » ou par « le bas ».

Un jeune de quatorze ans, testé à 145 de QI, était en échec scolaire. Le professeur principal du collège public dans lequel il était scolarisé ne pouvait que répéter à la mère qui demandait une autre forme d'apprentissage : « Il n'a qu'à apprendre ! » Matthieu donnait les bonnes réponses mais il avait du mal à mettre des mots sur la manière dont il avait procédé pour y arriver. Il était accusé de tricherie, de manque de travail. Si la mère sentait que son fils souffrait, le père, comme les enseignants, était persuadé qu'il était tout simplement fumiste et le tannait pour qu'il fasse des efforts. Des efforts ? Il en faisait tant ! Mais son cerveau ne répondait pas à ce qui lui était demandé.

La neurophysiologie nous apprend tant sur les capacités phénoménales de nos cerveaux. NON, tout le monde ne fonctionne pas de la même façon. Et si un enfant ne réussit pas, ce n'est pas forcément parce qu'il est nul. Il est probable qu'on ne lui a pas présenté l'information de manière qu'il puisse l'intégrer, on ne lui a pas appris à conduire cette machine ultra-perfectionnée qu'est son cerveau. Il y a les visuels qui ont besoin d'images, les auditifs, à l'aise dans la verbalisation. Un professeur, à gestion mentale temporelle, c'est-à-dire se positionnant facilement dans le temps, donne la consigne à l'enfant de placer la parenthèse après le chiffre. Si l'enfant a un cerveau temporel, il comprend. Si au contraire son cerveau n'est à l'aise que dans l'espace, si donc il est « spatial », il est perturbé : « Après, c'est devant ou derrière ? » En effet, visualisez deux voitures avançant sur la ligne du cahier, le sens de l'écriture allant de gauche à droite, la voiture qui est à droite, donc dessinée ou écrite « après », se trouve « devant » la voiture qui est à gauche. Cette dernière est donc « derrière » spatialement parlant et « avant » temporellement parlant[1].

L'enseignante de mathématiques et pédagogue Stella Baruk[2] a merveilleusement montré comment nombre d'erreurs des élèves étaient induites par la manière dont la matière leur était présentée. « Il n'y a pas de troubles mathématiques, il n'y a que des enfants troublés », a-t-elle dit. Je vous invite à la lecture de ses livres, surtout si vous-même ou vos enfants avez tendance à perdre les pédales en mathématiques.

---

1. Mes remerciements à Françoise Rougeau, qui m'a initiée à ces subtilités et à tant d'autres, dans ses stages de gestion mentale (Antoine de La Garanderie) et dans nos conversations...

2. Voir les nombreux livres de Stella Baruk et notamment le dernier, *Si 7 = 0 : quelles mathématiques pour l'école ?*, Odile Jacob, 2004. Ou encore, *L'Âge du capitaine*, Point Seuil, 1998.

Outre les orientations et spécificités biochimiques et physiologiques du cerveau, il y a aussi des blocages d'ordre psychologique. Nouara échoue devant les divisions. Elle n'y arrive pas. Elle bloque. Elle accumule mauvaise note sur mauvaise note. Jusque-là, elle était « bonne » en mathématiques, la maîtresse ne comprend pas. « Tu ne fais aucun effort ! » lui assène-t-elle. Si, des efforts, Nouara en fait. Elle n'y parvient tout simplement pas. Ses parents viennent de divorcer. Elle ne supporte pas cette *division* de la famille. Les erreurs des enfants parlent de leur vécu intime. S'il n'est pas dans la fonction des enseignants de soigner les blessures familiales, il est dans leurs attributions de ne pas enfermer l'enfant dans une définition négative de lui-même.

Les enseignants ont un grand pouvoir d'influence sur les enfants, tant en négatif qu'en positif. Souffrant dans sa famille, certaine d'être stupide parce qu'elle ne comprenait pas grand-chose en début d'année, Élaine a perçu la confiance que le maître lui faisait, elle s'est appuyée dessus. Trente ans plus tard, elle se souvient encore de ce professeur de CM2 qui lui a redonné confiance en elle. « Il m'a sauvé », dit-elle. Cet homme a su repêcher cette petite fille muette au fond de la classe qui n'arrivait ni à lire ni à écrire correctement. Il a su voir que si elle n'y parvenait pas ce n'était pas par manque de capacités, mais parce que personne ne l'avait jusque-là crue capable de réussir.

Comment avoir confiance en soi quand on n'y arrive pas comme les autres ? Toute dissemblance est facilement interprétée comme un défaut tant qu'on ne la comprend pas.

Plutôt que de s'accoler l'étiquette « je/tu/il manque de confiance en moi/toi/lui », cherchons à comprendre. Où est la souffrance ? Où est la différence ? D'où vient cette différence ?

CHAPITRE 6
ÉCHECS

Un succès ? Vous vous sentez prêt à affronter l'univers ! La réussite exalte et rend fort. En revanche, un échec a tendance à entraîner une perte de confiance en soi. Nous sommes frustré de ne pas avoir réussi. Nous décevons notre entourage, nous « chutons » à leurs yeux, mais aussi aux nôtres. Chaque réussite comme chaque échec concourt à former notre image de nous-même.

Quand on a un projet personnel fort, on peut absorber. Petits et même grands échecs n'ont pas le pouvoir de nous déstabiliser. Mais quand on n'est pas inscrit dans un projet, un échec peut être ressenti comme la fin du monde.

De nombreuses expériences menées par des psychologues ont montré ce que nous savons tous, mais oublions souvent : l'échec entraîne l'échec, comme la réussite entraîne la réussite. Certes, avoir raté nous invite à nous montrer plus attentif, plus précautionneux la fois suivante, mais le souvenir de l'échec crée une tendance à le répéter. Les sportifs le savent bien, qui s'entourent de coachs et de préparateurs mentaux pour les aider à sortir de ces spirales négatives.

De bons résultats sont encourageants, donnent confiance et améliorent les performances. De piètres notations dévalorisent et, loin de motiver les enfants ou les plus grands à se surpasser la fois suivante, on constate que la baisse du niveau a tendance à se confirmer. Certains enseignants surnotent les élèves. Étrangement, les parents préfèrent souvent les profs qui sous-notent à ceux qui surnotent ! Dans leur esprit, cette sévérité signifie qu'ils sont de bons enseignants (ces derniers ne s'y trompent pas et certains avouent noter durement pour acquérir une meilleure image). Pourtant, l'expérience le prouve : surnoter les enfants en début d'année les aide à améliorer leurs performances. Dans une perspective d'apprentissage, une note « juste » n'a guère de sens. Une bonne note dit « je suis capable » et donne envie de progresser. Une accumulation de mauvaises notes entraîne inévitablement la conclusion « je suis nul ».

Si l'échec scolaire entraîne rapidement une généralisation à toute notre personne – « je ne vaux rien », « je suis un raté » –, c'est aussi le cas de l'échec professionnel et même de l'échec amoureux, tant nous nous jugeons au lieu de vivre notre souffrance et toute la gamme de nos émotions. Nous nous évaluons, nous nous « notons » sur la base de nos échecs ou de nos succès, sans vouloir prendre conscience que nous ne sommes pas le centre du monde, et donc pas forcément les seuls en cause dans ces résultats.

Didier a annoncé à Alexandra qu'il la quittait. Elle en conclut : « Je ne vaux rien, je ne suis même pas capable de réussir mon couple, je suis nulle... » Que de jugements ! Elle a honte. Elle craint le regard des autres sur elle comme si c'était une question d'image. Au lieu de ne sentir que la souffrance, la frustration, la douleur, elle se juge. Ayant besoin de se sécuriser, elle tenait à l'image qu'elle donnait en couple peut-être plus qu'à l'amour lui-même...

Pour ne pas sombrer suite à un échec, il est important d'une part d'en comprendre les raisons, sans se contenter des plus apparentes, souvent superficielles, et d'autre part de laisser libre cours à ses émotions, d'être entendu et soutenu.

CHAPITRE 7
DEUILS

Tout deuil peut entraîner un manque de confiance en soi... Comment? On n'est pourtant pas responsable de la mort d'un proche! Et pourtant une grande insécurité peut suivre un décès.

Quand nous apprenons la mort de quelqu'un, c'est d'abord le choc. Une déflagration. Puis vient une phase de déni. On ne veut pas y croire. Non, ce n'est pas possible, c'est une erreur, il est toujours vivant. Vient ensuite un sentiment d'injustice. Il est toujours injuste de mourir ou de perdre les gens qu'on aime. La colère est là, « c'est pas juste ». Et puis l'être nous manque... La réponse naturelle à la frustration est encore la colère. Mais que faire de toute cette colère en soi? Personne ne nous ayant confirmé cette réaction comme normale, nous avons du mal à accepter en nous ces émotions. Nous les projetons sur d'autres, attaquant le personnel médical, désignant une personne de la famille ou de l'entourage comme bouc émissaire, ou les retournons contre nous. « J'aurais dû... j'aurais pu... » Le sentiment de culpabilité éprouvé après le décès d'un proche provient de ce retournement contre soi d'une colère inexprimable.

Quand la colère peut être exprimée, après une étape de tergiversations marquant notre difficulté à accepter la réalité, la tristesse nous accompagne sur le chemin de l'acceptation. Nos larmes terminent un travail de deuil qui va nous permettre de continuer à vivre sans l'autre et plein de tout ce qu'il nous aura apporté.

Mais quand la colère n'a pu être dite, voire éprouvée, car on peut s'interdire de ressentir, le travail de deuil ne peut se faire. La colère réprimée sape alors notre confiance, parce qu'elle se mue en culpabilité, et puis le décès a laissé un vide, a ébranlé notre sécurité. Diverses peurs peuvent naître, nouvelles, incompréhensibles... Nous ne nous reconnaissons pas. Nous sommes remués jusque dans nos fondements. Nous perdons confiance en nous.

Faire le deuil ne consiste pas seulement à pleurer un disparu [1]. C'est revisiter nos souvenirs, mettre en mots nos sentiments, et pas seulement ceux qui sont « politiquement corrects ». Le travail de deuil consiste à regarder son histoire avec la personne dans toute sa vérité, même si cela fait remonter des émotions douloureuses. Toute blessure non réparée peut empêcher la paix de s'installer. Qu'est-ce que j'ai aimé dans mes contacts avec cette personne et qu'est-ce que j'ai moins aimé ? Qu'est-ce qui m'a blessé, qu'est-ce que je n'ai jamais osé dire ? Qu'ai-je ressenti à ses côtés, face à lui ? D'ailleurs où était-il dans mes représentations mentales : devant moi, derrière, en face, à mes côtés ? Tout cela parle de notre relation. Le deuil est fait lorsque tout cela a pu être mis au jour, pensé, élaboré, émotionnellement vécu. Tant qu'un deuil n'est pas fait, même très ancien, il maintient une fragilité, des interdits, des limites, nous n'avons pas le droit de vivre vraiment, de prendre tout notre espace. Tout cela contribue à ternir la confiance en soi.

---

1. Voir mon livre *Que se passe-t-il en moi ?*, Éditions Jean-Claude Lattès, 2001, Marabout, 2002.

CHAPITRE 8
L'INTERDIT DE RÉCIPROCITÉ

Les échanges entre les humains sont dirigés par un principe fondamental : la réciprocité. L'équilibre des relations en dépend. Si un ami vous fait un cadeau, vous lui rendrez un présent d'égale importance. Si vous recevez des dons que vous ne pouvez rendre, il y des chances pour que vous vous sentiez débiteur, « je suis votre obligé ».

Lydia a trente-neuf ans, un métier, un mari, deux enfants, une maison bien tenue et... des beaux-parents trop généreux. Quand ils viennent déjeuner chez leurs enfants, ils arrivent les bras chargés de nourriture : légumes du jardin (« C'est tellement meilleur que ceux du supermarché... »), gibiers préparés et même petits plats mitonnés (« Il y en a beaucoup, tu peux en mettre au congélateur... et comme cela tu n'auras rien à faire »). Sans comprendre vraiment pourquoi, Lydia se sent de plus en plus mal en leur présence.

La situation se répète, elle ne parvient pas à montrer son agacement : « Ils sont si gentils ! » ; et puis tout ce qu'ils apportent est tellement délicieux, elle se sent coupable à l'idée de faire la fine bouche. D'autant que son mari ne la comprend pas : « Cela leur fait tellement plaisir, je ne vois pas de quoi tu te plains, ça te fait moins de travail, ils font ça pour nous aider... » Et puis, cerise sur le gâteau, les enfants adorent les petits plats et les légumes de mamie. Incapable d'exprimer son mécontentement à ses beaux parents, Lydia perd confiance en ses capacités. Ses beaux-parents sont pleins de bonnes intentions, mais en lui refusant toute réciprocité, par leur attitude, ils lui disent : « Tu n'es pas capable de faire correctement à manger. » « Tu ne donnes pas de bonnes choses à tes enfants. » S'ils acceptaient de temps à autre de goûter à la cuisine de Lydia et lui faisaient quelques compliments, elle ne s'enfermerait pas dans ce sentiment d'infériorité.

Celui qui donne se vit comme opulant, puissant. Celui qui n'a que le droit de recevoir se vit débiteur, dévalorisé, inférieur.

Quand le pouvoir de l'un sur l'autre est supérieur à celui de l'autre sur l'un, la loi de la réciprocité est empêchée, entraînant soumission et dépendance.

Il est à noter que les « donneurs » ne le font ni méchamment ni dans le but conscient de prendre le pouvoir. C'est leur façon à eux de gérer leur manque de confiance. Agnès est extrêmement généreuse. Elle donne beaucoup et reçoit peu. Elle n'y voit pas d'inconvénient, elle n'attend rien. Elle dit donner pour le plaisir de donner. Un peu d'introspection lui permet d'entrevoir qu'en réalité elle a du mal à recevoir, elle ne s'en croit pas digne. Quand quelqu'un tente de lui faire un cadeau, un compliment, ou de lui rendre service, elle prend peur, elle n'a jamais reçu, elle n'y croit pas. Enfant, elle a toujours dû donner, servir pour être aimée. Elle donne pour se faire accepter par les autres et parce que donner, elle sait faire. En revanche, recevoir l'intimide trop.

On voit comment nos insécurités mutuelles rebondissent les unes sur les autres et se renforcent ! Soyons attentifs à la réciprocité dans nos relations, parlons ensemble en exprimant nos sentiments, sans juger. Donner et recevoir sont des actes chargés d'histoire personnelle et d'enjeux affectifs qui dépassent la relation actuelle.

CHAPITRE 9
SOUMISSION ET DÉPENDANCE

Quelles que soient votre enfance, votre histoire et vos capacités, si vous travaillez dans une société fortement hiérarchisée, fonctionnant sur la notation, avec un chef sur votre dos, vous aurez nettement moins confiance en vous que si vous avez la chance d'évoluer dans une entreprise coopérative, plus à l'écoute des salariés et cherchant la mise en commun des compétences. Quand on se sent écouté, reconnu, valorisé, quand on a une place parmi les autres, on a de plus en plus confiance en soi. Quand on doit obéir aux ordres, se conformer aux directives, quand on est contraint, quand les finalités de nos actes sont décidées par d'autres, notre confiance en nous s'effrite rapidement. C'est d'ailleurs ainsi que vos chefs s'assurent de conserver leur autorité.

Le manque de confiance en soi est proportionnel à l'absence de pouvoir sur soi.

Travailler dans une entreprise humiliant ses salariés, vivre aux côtés d'un conjoint dévalorisant, ou avec des parents usant de l'insulte et de la menace, sape la confiance en soi, quelle que soit votre solidité. La force intérieure consiste alors à se retirer d'un tel environnement.

Nombre de gens viennent en thérapie pour que je les aide à rester dans une situation insupportable. Ils voudraient continuer à demeurer dans la situation qui les opprime, persuadés que c'est leur faute. C'est comme marcher avec des chaussures trop petites. Il y a un moment où il est utile de se dire : je me suis trompé, ces chaussures que j'ai achetées ne sont pas à ma taille, j'en change. Plutôt que de tenter toutes sortes de baumes et d'antalgiques pour moins souffrir. Question confiance en soi, j'ai souvent constaté que le problème était dans les chaussures.

Le défaut de confiance en soi n'est donc pas une « caractéristique » d'une personne, mais une conséquence, une réaction face à un environnement ou à une situation spécifique.

Que vous soyez dépendant(e) d'une femme, de votre mari, de la cigarette ou de l'alcool, la dynamique même de la dépendance vous enferme dans le manque de confiance en vous. La dépendance apporte une certaine sécurité, mais souligne que sans cette sécurité extérieure vous êtes vulnérable. Quand votre aisance dépend d'un verre de vin, votre contenance d'une cigarette, votre calme d'un comprimé de neuroleptique, vous n'êtes pas bien solide à l'intérieur et vous le savez, même si vous parvenez à faire illusion sur votre entourage.

Il est vrai que vous êtes peut-être entré dans cette dépendance poussé par un défaut de confiance. Vous avez découvert qu'en mangeant une tablette de chocolat ou en allumant une cigarette, vous parveniez à calmer un trop-plein d'émotion. Mais la dépendance enchaîne, et en cas de pénurie de cette sécurité extérieure, c'est la panique, l'effondrement.

« Je suis dépendante de mon mari, pour tout ce qui est papiers, je n'y comprends rien... Je n'ai pas confiance en moi. » Marylise ne voit pas que, en réalité, moins elle met le nez dans les papiers, plus elle s'enracine dans son sentiment d'incompétence.

« Je ne peux pas vivre sans elle », clame Bertrand. La dépendance envers autrui lui permet de ne pas affronter le vide intérieur, la solitude, mais elle souligne son incapacité à vivre seul.

Être dépendant nous renvoie jour après jour une image de plus en plus dévalorisée de nous-même. Et, bien entendu, cela est renforcé quand la personne dont on est dépendant se montre humiliante, dévalorisante, ou tout simplement « supérieure ».

Les liens entre le pouvoir, la position hiérarchique et la confiance en soi compliquent l'espoir de guérison. Votre défaut de confiance en vous n'est pas seulement un problème psychologique ! C'est une réaction du psychisme, certes, mais à une réalité psychosociale. Le travail psychique est insuffisant pour en guérir.

Au cours d'un stage, Dorothée est transformée. Elle le sent, elle a désormais confiance en elle ! De retour chez elle, tout s'effondre. De nouveau, elle tremble, elle a peur, elle perd ses moyens, n'a plus de repartie. Que s'est-il passé ? Elle est en situation de dépendance financière extrême à un homme, un ancien amant, devenu son patron... Avoir confiance en soi dans ces conditions est une illusion. Elle peut conserver la confiance en sa décision de poursuivre son chemin vers l'autonomie, mais d'ici là, elle ne pourra faire l'économie de battements de cœur, d'estomac noué, de confusions intellectuelles face à lui. Petit à petit, prenant de la distance sur le plan affectif et, surtout, acquérant son indépendance financière, elle retrouvera sa précieuse confiance.

Le dominant n'a guère d'intérêt à laisser l'autre prendre confiance en lui. Il peut se vivre comme menacé. En réalité, seule sa domination l'est. Simon n'appréciait pas que sa femme ait confiance en elle, il exigeait sa soumission. Si elle avait eu confiance en elle, elle se serait rebellée. Comme lui, de nombreux maris ne veulent pas de compétition dans leur couple et résolvent le problème en humiliant, en dévalorisant leur femme. C'est réciproque. De nombreuses femmes, par leurs critiques et sarcasmes répétés, cherchent à ôter à leur mari toute confiance en lui pour le conserver auprès d'elles. À noter que ce besoin de pouvoir et de domination est aussi issu d'un manque de confiance en soi.

Par mon manque de confiance, à qui donné-je du pouvoir?

Quand je prend le pouvoir sur l'autre, comment sa dépendance me rassure-t-elle?

La soumission et le manque de confiance en soi d'une partie de la population ont permis au modèle hiérarchique de perdurer. Aujourd'hui, nous cherchons à sortir de ce modèle pyramidal qui limite la créativité et rend notre espérance de démocratie utopique. Pour redonner, par exemple, à chaque personne autour d'une table la confiance en elle, il ne suffit pas de leur faire faire individuellement un travail psychologique, il est nécessaire aussi de modifier la structuration du groupe et les règles de son fonctionnement.

Des entreprises de plus en plus nombreuses abandonnent le modèle hiérarchique traditionnel, et si les « puissants », les hommes au pouvoir, ont du mal à lâcher leurs prérogatives et autres avantages acquis (on peut les comprendre, même si c'est injuste : qui abandonnerait volontiers tant de pouvoir et d'argent?), la révolution est en route. Internet, notamment, nous initie à une nouvelle forme d'intelligence collective non pyramidale.

Beaucoup de gens reprennent confiance en eux grâce à leur ordinateur. Ce dernier ne les juge jamais, ils peuvent participer à toutes sortes de forums et sites de discussion. Leur avis est pris en compte. Ils peuvent même partager leurs connaissances et enrichir l'encyclopédie libre universelle[1]. Sur le net, plus de formules de politesse excessives, plus de monsieur, madame, qui visaient au respect du positionnement social et hiérarchique. Les internautes communiquent entre eux sur un pied d'égalité.

La confiance en soi donne de l'autonomie, et l'autonomie confère de la confiance en soi. Le défi est aujourd'hui de conjuguer confiance en soi et respect de l'autre.

---

1. www.wikipedia.org, encyclopédie gratuite écrite coopérativement par tous les internautes qui le désirent.

CHAPITRE 10
ATTRIBUTIONS ET HUMILIATIONS

« Tu es... »

Un enfant a tendance à se conformer à ce que ses parents disent de lui. Sans avoir toujours conscience de l'impact de leurs mots, nombre de parents lui attribuent toutes sortes de qualificatifs le définissant : « tu es nul », « tu es maladroit », « tu n'es qu'un raté », « moche comme tu es, tu ne trouveras jamais de mari », « insupportable comme tu es... ». Les enfants prennent nos petites phrases, souvent proférées sous le coup de l'émotion, au premier degré. Ils n'ont pas encore la capacité d'interpréter. Ils absorbent ces attributions comme si elles étaient *la* vérité.

Enfant, mes parents sont comme des dieux, je suis issu d'eux. « Ils m'ont créé. Ils savent forcément mieux que moi qui je suis. » De plus, je suis dépendant d'eux, comment m'opposer à eux ?

Les enfants, donc, se conforment à ce que leurs parents disent d'eux : « tu es doué en rédaction », « tu es merveilleux au piano », tout comme « tu es un moins que rien », « Bernard, c'est un secret », « Martine, c'est une pipelette », « tu ne feras jamais rien de ta vie », « tu n'es pas un matheux »...

Comment faire pour avoir de bonnes notes en mathématiques quand papa a dit « tu n'es pas un matheux » ? Il n'a pas dit « en sixième, tu as eu des difficultés à comprendre les maths », il a dit « tu n'es pas un matheux ». C'est une définition. L'enfant obéit inconsciemment aux injonctions qu'il entend dans la malédiction de ses parents. D'autant que ces attributions ne se font pas tout à fait au hasard. Même si le parent est persuadé qu'il parle de l'enfant, en réalité, c'est lui qui se met en scène. Un peu d'introspection permet au parent de prendre conscience que l'insulte qu'il a proférée lui parle en profondeur. Soit il l'a entendue lui-même dans son enfance et la passe à la génération suivante pour ne pas la garder pour lui – on transmet ce qu'on peut... Soit elle lui permet de réparer une partie de lui particulièrement blessée. « Tu es nul » peut signifier : « Vois comme je suis mieux que toi » ou « Je comptais sur toi pour me revaloriser devant les voisins, je suis déçu de tes résultats, ils m'obligent à voir que je me sens inférieur aux autres. » « Tu ne feras rien de ta vie » peut être traduit par quelque chose comme : « J'ai toujours fait ce que mon père voulait, je ne me suis jamais écouté. Je ne veux pas le regretter et me rendre compte que je n'ai rien fait de personnel. Fais comme moi, conforme-toi, travaille. »

« Tu es vraiment spéciale, ma pauvre fille » veut souvent dire : « Je ne te comprends pas, je me suis toujours exercée à rester dans le moule, à ne pas exister par moi-même, je me sens menacée par toi. »

Tout se passe comme si l'inconscient des enfants entendait les besoins de réparation des parents et se mettait à leur service. Mais leur conscient ne voit pas les raisons pour lesquelles ils échouent, ont du mal, ratent, alors ils perdent confiance en eux.

Si les influences des parents sont bien sûr prédominantes, l'impact des dévalorisations d'un enseignant ne sont pas à négliger et devraient être sanctionnées.

Il y a trois ans, une institutrice de maternelle a dit à la maman d'une petite Magali de quatre ans : « Votre fille n'aura jamais son bac ! » Elle est voyante ? Heureusement, la maman de Magali ne l'a pas crue, a soutenu sa fille et lui a permis d'exprimer sa colère. Magali a appris à lire avec plaisir, elle est plutôt bonne élève aujourd'hui. Combien de parents ne soutiennent pas leurs enfants parce qu'ils croient ce que dit le professeur ? Combien d'enfants ne racontent même pas à leurs parents les dévalorisations, voire les insultes, des enseignants ? L'enfant va peut-être réussir malgré cette épine, mais il aura à se battre avec elle. Est-ce bien le rôle des professeurs de compliquer ainsi l'apprentissage ?

Tout le monde a entendu parler de ce professeur qui a dit au petit Albert Einstein qu'il n'arriverait à rien dans la vie ! À quoi lui servait cette humiliation ? Il est certain qu'il ne devait pas être facile d'avoir dans sa classe un tel génie. Il était atypique, différent, et refusait de rentrer dans le rang. Le petit Albert, très rebelle, a tout de même réussi à « faire quelque chose de sa vie », mais il n'a jamais aimé l'école.

CHAPITRE 11
NON-DITS, SECRETS ET MENSONGES

Vous aviez plutôt confiance en vous, puis, insidieusement, vous avez commencé à déraper, à douter, à vous poser des questions et à chercher à mettre des mots sur ce sentiment d'insécurité grandissant en vous ? Si rien dans votre vie ne motive ce revirement, c'est un signal. On vous cache peut-être quelque chose...

Nous avons des antennes ! Nous savons inconsciemment ce que l'on ne nous dit pas, nous éprouvons les sentiments associés à ces non-dits, mais sans pouvoir les comprendre consciemment. Nous sommes donc envahis d'émotions et parfois d'images incompréhensibles... Insécurisant non ?

Les parents, pour éviter de « traumatiser » leurs enfants, dans le désir de les protéger, de ne pas leur faire de peine, ont tendance à leur dissimuler un certain nombre d'événements douloureux. La mort d'un hamster mais aussi celle de grand-mère, la faute professionnelle de papa, le cancer de maman, un avortement, l'hospitalisation en psychiatrie de la tante, le suicide du cousin... Plus que les événements, c'est le non-dit qui insécurise. L'enfant ne sait pas identifier les sources de son malaise. Il perd confiance en lui.

De la même manière, une femme trompée par son mari (ou l'inverse) peut perdre confiance en elle, alors même qu'elle ne sait rien consciemment. Bien sûr, elle trouve des raisons à cette perte de confiance en elle, mais la véritable cause lui échappe, et par là toute possibilité de réparer le mal.

Eh oui, votre manque de confiance peut être une réaction saine de votre psychisme au comportement d'autrui ! Utilisez cette insécurité nouvelle comme un signal et pistez les secrets et autres non-dits dans les relations importantes pour vous.

CHAPITRE 12
L'EFFET DE CONTRASTE

Ils croyaient se présenter à un entretien d'embauche pour un nouveau travail[1]. Chacun d'eux devait attendre seul dans une pièce avant de voir le recruteur. Au bout de quelques instants, un complice entrait et s'asseyait. Le complice était soit un homme très élégant, soit une personne négligée, mal rasée, pull taché. On distribuait ensuite différents documents à remplir dont une échelle évaluant l'estime de soi. Les résultats furent éloquents. L'entrée de M. Propre était marquée par une baisse importante de l'estime de soi des participants. Tandis qu'en présence de M. Sale, leur estime d'eux-mêmes augmentait !

Nous nous comparons les uns aux autres, plus ou moins consciemment. En présence d'un mannequin, nous nous trouvons moche, à côté d'une personne au physique disgracieux, nous nous jugeons beau ! Tout dépend de l'étalon auquel nous nous mesurons. Pas facile d'avoir une sœur, voire une mère, trop belle, pas simple d'avoir un frère trop intelligent. En comparaison, nous concluons à notre infériorité.

---

1. Étude de Morse et Gergen (1970).

Le même effet de contraste joue sur les notes! Une personne qui corrige un devoir sera inconsciemment influencée par la qualité de la copie précédente. Et une série de copies excellentes entraînera une sous-estimation de la copie suivante. Cessons de croire que nos résultats, tant scolaires que professionnels, ne sont dus qu'à nos seules capacités! Tant d'éléments jouent sur l'évaluation que les autres font de nos compétences...

Une étude reproduisait un jeu de quizz. Les rôles de questionneurs et de questionnés étaient tirés au hasard. Un troisième individu était chargé d'observer la scène. La question était: « Qui du questionné ou du questionneur a le plus de connaissances? » Résultat, l'animateur dont le rôle était de lire des questions puis de donner les réponses était perçu comme ayant davantage de connaissances. Rien ne disait pourtant s'il connaissait ou non les réponses! Même le questionné était victime de cet effet et trouvait que le questionneur en savait plus que lui.

Notre rôle et notre place, plus que notre réalité, définissent nombre de nos perceptions...

CHAPITRE 13
INCONSCIENT,
QUAND TU NOUS TIENS !

Le regard de l'enseignant a beaucoup de pouvoir sur l'enfant. On nomme « effet Pygmalion » cette tendance à se conformer inconsciemment à l'image que l'autre a de nous. Le professeur vous croit intelligent ? Vous avez tendance à vous améliorer. Il vous considère comme un « déchet de la société[1] » ? Vous aurez du mal à réussir votre devoir. Même s'il ne vous dit rien de ses pensées à votre égard !

Le regard des parents est plus puissant encore. Sans qu'aucun mot soit échangé, l'enfant sent le rejet inconscient de sa mère, le refus inconscient de son père, le jugement de l'un, les attentes de l'autre... Il est plus facile de réussir et d'avoir confiance en soi quand vos parents croient en vous.

Le regard du patron a aussi ce pouvoir, comme celui des autres salariés et, finalement, de tout notre entourage. Selon l'environnement dans lequel il est placé, l'humain ne se comporte pas de manière identique. Si on vous fait confiance, vous réussirez plus facilement que si on médit sur vous, même

---

1. Insulte réellement proférée par un enseignant de collège envers un enfant de douze ans ! Aucune conséquence n'est venue sanctionner ce dérapage, comme si insulter était un droit.

si personne ne vous dit rien ouvertement. Nous sommes inconsciemment influencés par le regard que les autres posent sur nous, le regard direct de notre entourage, mais aussi le regard « social », celui que nous avons intériorisé.

On dit que les hommes sont meilleurs en mathématiques que les femmes. Est-ce bien vrai ? Oui, quand les femmes concourrent avec des hommes. Non, quand elles ne sont qu'entre elles. Les résultats des filles en mathématiques sont meilleurs dans une école de filles que dans une école mixte et supérieurs à ceux obtenus dans une école de garçons. La mixité n'a pas apporté que du bon aux filles ! Dès qu'un garçon est présent, les performances des filles baissent. Et ce, bien sûr, de façon tout à fait inconsciente. Une fille ne doit jamais dépasser un garçon sur le plan intellectuel. En mathématiques, c'est lui le meilleur, toute la société le dit. La petite fille se conforme inconsciemment à cette idée.

Des chercheurs ont inventé une expérience pour tester plus précisément ce phénomène. On prévenait des étudiantes qu'elles allaient rencontrer un étudiant beau et viril. Elles devaient se décrire au préalable. La description d'elles-mêmes variait selon que l'étudiant en question leur était décrit comme attaché aux valeurs traditionnelles, voire comme machiste, ou dépeint comme non attaché à la spécificité des rôles homme-femme. On leur fit alors passer des tests de résolution de problème. Le taux d'échec de celles qui s'attendaient à rencontrer le bel étudiant machiste fut de 18 % supérieur à celui des autres étudiantes !

« Les femmes sont inférieures aux hommes, elles sont moins intelligentes », on nous l'a tellement répété. Nous nous conformons aux attentes supposées...

Il est tellement impossible aux hommes comme aux femmes de penser que ces dernières pourraient avoir une plus grande intelligence mathématique, et surtout se montrer plus rationnelles que les hommes, que lorsqu'on a découvert que nous avions deux hémisphères, le gauche, spécialisé dans le langage, la logique, l'analyse précise des détails, et le droit, permettant l'appréhension globale des choses, le premier fut associé à la raison et dit « masculin », tandis que le second fut dit le lieu du sentiment et donc « féminin ». Il fut dit bien sûr que les hommes avaient tendance à n'utiliser que leur cerveau gauche et que les femmes étaient irrationnelles puisqu'elles étaient « cerveau droit ». Pourtant la vie à deux montre tous les jours que les femmes sont plus rationnelles que les hommes. Dans nombre d'activités elles réfléchissent avant d'agir, tandis que les hommes, mus par leurs hormones, agissent d'abord.

Malgré les stages « Développez votre cerveau droit » qui ont fleuri dans les années 1980 et qui invitaient les hommes à se servir davantage de leur cerveau droit pour être plus créatifs, il restait clair pour tous que le gauche, le logique, le verbal, le mathématique était forcément masculin.

Pourtant, tout un chacun a pu constater dans son quotidien combien une femme découvre plus vite qu'un homme un yaourt dans un réfrigérateur et va dénicher le détail qui ne va pas ! Mais tant que c'est dans le domaine de la maison et que cela permet à l'homme de lui confier les tâches ménagères, il est prêt à valoriser ses « pouvoirs ». Il a fallu attendre les scanners du cerveau en activité pour constater que dans la réalité, les femmes sollicitent davantage leur hémisphère gauche et les hommes... le droit ! Les deux hémisphères sont complémentaires, il ne s'agit pas vraiment d'une spécialisation, mais le cerveau droit s'intéresse aux images dans leur globalité, tandis que le gauche est stimulé quand l'attention est portée sur l'analyse des détails.

Tout le monde sait que les filles parlent plus que les garçons, qu'elles sont plus à l'aise qu'eux pour mettre des mots sur leur vécu, mais la croyance dans le fait que le cerveau verbal, le gauche, est l'apanage des hommes est néanmoins tenace : pour preuve, ils savent raconter des blagues... Eh non ! En l'occurrence, ce sont les capacités d'abstraction et les facultés de liaison de concepts entre eux de leur cerveau droit qui donne aux hommes leur si délicieux sens de l'humour...

Il est ahurissant de constater comment un tel mythe a pu se développer sans rencontrer de résistance malgré l'évidence quotidienne et les preuves scientifiques. Les femmes, dévalorisées, ont intériorisé l'idée de leur infériorité. Et comme elles manquent de confiance en elles, leurs compétences en pâtissent.

Les petites filles sont plus à l'aise dans le langage que les petits garçons, elles obtiennent de meilleurs résultats scolaires... jusqu'à ce que des mécanismes physiopsychosociaux inconscients viennent barrer leurs compétences.

Ce sabotage inconscient de capacités est stupéfiant. Pensez à ce qui se passe dans les entreprises quand votre patron ou simplement un collègue est machiste ! « En face de lui, je perds mes moyens. »

Est-ce le même phénomène de sabotage inconscient des capacités qui rend nombre d'hommes stupides face à une machine à laver le linge ?

Nous avons du mal à oser dépasser des personnes dont nous sommes dépendants et que nous considérons dominantes, nos parents par exemple ! Les parents aimants donnent la permission à leur enfant de les dépasser. D'autres ont tant joué de leur autorité et abusé de leur pouvoir sur l'enfant que ce dernier n'ose pas sortir de la soumission et peut se saboter, échouer sans comprendre pourquoi et donc perdre peu à peu confiance en lui, alors qu'il n'est confronté qu'à une barrière inconsciente.

Ludovic est un excellent joueur de tennis, pourtant il ne gagne pas ses matchs. Il invoque la pression, le manque de confiance en lui... En fait, il s'interdit de dépasser son père, qui le terrorisait. Une fois qu'il a été libéré de la peur de son père, il a pu enfin marquer des points et terminer ses matchs en beauté.

Nous sommes pétris d'interdits inconscients, modelés par des lois socialement admises, et nous n'avons pas toujours la liberté de laisser nos compétences s'épanouir. Souvenons-nous que lorsque nous ne réussissons pas ce que nous désirons, il y a le plus souvent une raison. Cherchons-la plutôt que de douter de nos compétences.

Notre inconscient porte aussi les normes sociales. Il n'est pas toujours facile d'être un enfant d'agriculteur dans une société qui valorise l'intellect et qui oublie qu'elle mange grâce aux paysans. *A contrario*, il n'est pas simple non plus d'être le fils du directeur de l'école, du P-DG de la plus grosse entreprise de la région. En fait, il n'est pas simple d'être autrement. Quand on se vit différent et/ou quand les autres nous voient tels et donc établissent une distance, nous avons tendance à conclure à notre infériorité, psychologiquement, mais aussi physiologiquement. Notre cerveau intègre l'attitude de soumission comme une composante de l'identité.

La pauvreté est particulièrement humiliante dans notre société. À l'humiliation s'ajoute la frustration. Ne pouvoir acquérir les biens de consommation exposés dans les vitrines engendre une colère qui ne peut être que retournée contre soi. « Je ne peux pas acheter. » La phrase dit le manque de pouvoir. Or contre qui tourner sa colère ? « C'est moi qui ne peux pas. Je suis dans l'incapacité d'acheter. » Le glissement est facile vers : « Je suis un incapable. » Tout handicap, toute limitation de nos capacités, quelle qu'en soit la motivation, sont susceptibles d'entraîner cette déduction.

De plus, le regard des autres est là. Le pauvre n'a pas le droit à la colère, on le convainc que sa pauvreté lui incombe. Pourtant, est-ce de la responsabilité d'un enfant de naître dans une famille plus ou moins aisée, intouchable en Inde, fils d'un magnat du pétrole, au sein d'une famille américaine moyenne ou en France dans le quart-monde ? Est-ce de la responsabilité d'un enfant de venir au monde dans une cité de la périphérie des villes, dans une ferme isolée à la campagne ou dans les quartiers chic d'une mégapole ? Pourtant tous n'auront pas le même sentiment de dignité personnelle. Même le pouvoir sur sa propre vie n'est pas équitablement réparti. Tous n'auront pas le sentiment d'avoir une place sur terre et parmi les autres. Tous ne bénéficieront pas du même respect.

C'est ainsi que se constitue un sentiment d'infériorité purement culturel, lié au groupe auquel l'individu appartient.

Comment avoir confiance en soi quand nos capacités varient à ce point hors de notre contrôle conscient ? Peut-être en reprenant un contrôle conscient. Connaître l'existence de ce biais est déjà important, un travail supplémentaire a besoin d'être fait sur nos représentations mentales.

Toute répression de colère est dommageable

Le manque de confiance en soi est une adaptation. Il est une réaction naturelle face à la souffrance, une réaction de soumission sociale. Ce que nous nommons « confiance en soi » parle de notre position inconsciente dans la hiérarchie sociale. Sortons de l'idée que le manque de confiance en soi ne dépend que de l'individu sous peine de ne pouvoir nous en dégager. L'environnement joue son rôle, tout comme la

position sociale... En avoir conscience peut aider à se libérer
de ce joug. C'est l'avantage que nous avons sur les animaux.

Reprendre confiance en soi, c'est donc guérir ses blessures
et conquérir son autonomie. Où est la clef? Quand on
manque de confiance en soi, on a souvent du mal à exprimer
sa colère de manière appropriée. Or toute colère réprimée,
quelle qu'en soit la raison, enclenche une perte supplémentaire de confiance en soi. La colère est l'émotion qui permet
à l'humain de restaurer son sentiment d'intégrité, de
défendre ses droits. Quel enfant a le droit de manifester sa
colère à ses parents quand ces derniers crient, tempêtent,
punissent? Même quand le parent reconnaît l'injustice de sa
réaction, il a du mal à tolérer la juste colère de l'enfant. Elle
remettrait trop en cause son pouvoir sur lui.

C'est grâce à ce processus que les puissants assurent leur
pouvoir. Ils justifient leurs actes, accusent la victime, et surtout interdisent toute manifestation de colère, que ce soit par
la force ou par la manipulation intellectuelle ou affective.
Dès lors que la juste colère ne peut être exprimée, elle est
retournée contre soi, se mue en peur, et installe l'insécurité.
La personne se dévalorise, perd confiance en elle et reste
soumise!

Pour guérir du manque de confiance en soi, considérons
notre vécu dans son contexte et osons la juste colère. Mais il
y a différentes formes de confiance et tout ne se soigne pas
de la même façon.

TROISIÈME PARTIE

GUÉRIR

Vous manquez de confiance en vous ?

*S'agit-il de la **confiance de base**, autrement nommée **sécurité intérieure**, cette sensation corporelle d'être à sa place dans la vie, cette profonde paix intérieure qui nous confère notre liberté ?*

*S'agit-il de **la confiance en votre personne propre ? S'agit-il de la confiance en vos sensations, en vos émotions, en votre jugement, en votre capacité à affirmer vos désirs et besoins**, à dire « je veux », à dire « je » tout simplement sans craindre de vous différencier des autres, d'être rejeté, ou isolé ?*

*S'agit-il de **confiance en vos compétences ?** Avez-vous des difficultés à dire « je peux », manquez-vous de confiance en l'une ou l'autre de vos capacités : votre intelligence, vos talents, vos ressources, votre mémoire, vos connaissances… ?*

*S'agit-il de **confiance relationnelle**, ou **confiance sociale ?** Confiance en l'autre, mais aussi et surtout en votre capacité à établir des relations authentiques et durables, à vous sentir à l'aise en société, dans des systèmes hiérarchiques et organisés tout autant que dans des situations informelles.*

Eh oui, il y a tout cela derrière ce terme trop général : « *la confiance en soi* ». *Ces quatre dimensions se construisent les unes sur les autres au cours de notre développement. C'est pour cette raison que je les nomme* « *étages* ».

*Au cours de votre première année, dans les bras de vos parents, vous installez votre **sentiment de sécurité intérieure**. Puis, grandissant, vous commencez à vous opposer, à développer votre propre personnalité. Respecté par vos parents dans vos désirs, dans vos besoins, dans vos sensations, dans vos émotions, dans vos choix, dans vos jugements, vous renforcez **la confiance en votre personne propre**. À partir de trois ou quatre ans, vous explorez davantage le monde, vous voulez faire les choses* « *tout seul* », *vous développez la confiance en vos compétences. À l'école, vous rencontrez vos pairs, vous vous faites des amis... Vous renforcez votre **confiance relationnelle**. Quand ces quatre étages sont solides, vous sentez en vous une profonde **confiance en la vie et en votre devenir**.*

Quel est votre manque de confiance ?

J'ai peur que les autres ne m'aiment pas.	☐
Je ne supporte pas le rejet.	☐
J'ai peur du regard des autres, de leur jugement.	☐
J'ai peur du conflit.	☐
Je n'ai pas les compétences requises.	☐
Je me suis peut-être trompé.	☐
J'ai tendance à suivre l'avis des autres, je n'ai pas d'idées propres.	☐
Je ne sais pas ce que je veux.	☐
J'hésite tout le temps.	☐
Je suis incapable de choisir.	☐
Je ne vais pas y arriver.	☐
Je suis isolé.	☐

Je me trouve nul, moche, sans intérêt. ☐

Je suis timide, je n'ose pas parler aux autres. ☐

Je ne suis pas à mon aise dans un cocktail. ☐

Je ne sais pas quoi dire dans les conversations. ☐

Je ne m'aime pas... ☐

Comment dessiner le profil de la personne manquant de confiance en elle ? Car un homme peut se trouver laid et sans attrait tout en conservant une grande confiance en son jugement. Un autre peut être paralysé devant un choix à opérer tout en restant certain de son pouvoir de séduction sur les femmes. Une femme peut craindre les conflits tout en étant sûre de ses compétences. Une autre peut penser ne pas être capable tout en étant à l'aise dans les confrontations avec autrui. **Il existe diverses formes de confiance, différentes étapes dans la construction de notre confiance.** *Nous allons parcourir ensemble ces étapes. Après avoir présenté plus en détail chacune d'entre elles, je vous propose des pistes à suivre, des exercices simples et des messages à afficher chez vous ou même au bureau, sur le réfrigérateur ou sur votre ordinateur, afin de renforcer votre confiance en vous au quotidien.*

Chapitre 1
Sécurité intérieure
ou confiance de base

Fermez les yeux et faites le silence à l'intérieur de vous. Respirez. Comment vous sentez-vous ? Est-ce agréable ?

Respirez en permettant à l'air de pénétrer jusque dans votre bassin. Installez-vous à l'intérieur de vous dans la zone qui va du sacrum au coccyx. Pouvez-vous rester une heure en silence chez vous ou ailleurs sans être tenté d'allumer la télévision, la radio, l'ordinateur, de vous plonger dans un journal ou d'appeler un ami ?

Vous plaisez-vous en votre propre compagnie ? Avez-vous le sentiment d'avoir votre place sur cette terre ? Vous dites-vous que l'avenir a un projet pour vous ? Êtes-vous confiant dans la vie ?

La sécurité intérieure, ou confiance de base, c'est la sensation d'être confortablement installé à l'intérieur de soi, bien assis dans sa base, dans sa colonne vertébrale, dans son sacrum. C'est une sensation très physique, une expérience corporelle élaborée dans le contact avec les parents. Elle n'est pas liée aux seuls messages verbaux de ces derniers, même si les « je t'aime » la confortent. Elle se nourrit de touchers, de regards, d'amour inconditionnel, de tendresse et de baisers, bref d'intimité.

Elle procure une certaine tranquillité face aux situations. Elle permet de goûter la solitude sans se sentir isolé, de faire face aux épreuves de la vie sans être ébranlé dans sa personne, elle confère la certitude d'avoir une place sur cette terre. Elle donne la sensation d'être solide et « protégé ». Nous avons incorporé la sensation de protection fournie par nos parents quand nous étions tout petits.

Le bébé n'a pas confiance en lui automatiquement, sa confiance se construit dans la relation, depuis la conception jusqu'à la fin de la première année. Si l'expérience est confortable, il va construire une confiance naturelle. Mais il peut vivre des expériences désagréables. On n'est pas à l'abri de tout, même dans le ventre d'une maman.

Suis-je accepté ? Ai-je ma place parmi les autres ? Telles sont les questions auxquelles l'enfant trouve réponse dans cette période de dépendance.

Votre enfant intègre sa confiance de base à votre contact. Il puise dans votre propre sécurité et dans la sécurité physique et affective que vous lui proposez. Votre amour, l'acceptation de sa personne telle qu'elle est sont bien sûr essentiels, mais pas suffisants. Un bébé qui pleure seul dans sa chambre est dans une terreur complète au bout de huit minutes. Le portage, le cododo, l'allaitement, tout ce qui favorise le contact physique augmente la confiance de base. Il y a toutefois différents types de contact. Le toucher haptonomique[1] offre une sécurité optimale tout en respectant l'espace de l'enfant. Un

---

1. L'haptonomie a été développée par Frans Veldman. En France, elle a été promue par Catherine Dolto. Cet « art du toucher » est enseigné aux futurs parents pour entrer en contact avec le fœtus et tenir le nourrisson. Par ailleurs, l'haptonomie est aussi une thérapie très efficace pour restaurer la sécurité de base des adultes. www.haptonomy.org

nourrisson, le sacrum bien calé dans la paume de la main de son papa ou de sa maman, tient son dos, son cou et sa tête bien droits et ouvre les yeux sur le monde. La sensation éprouvée dans ce contact lui permet de s'ouvrir sans crainte.

Celui qui n'a pas reçu suffisamment de contact physique authentique de la part de ses parents, qui n'a pas pu intérioriser suffisamment de sécurité intérieure éprouve le besoin d'être toujours en contact avec autrui. Il n'arrive pas à affronter un moment de solitude, il est dépendant de son téléphone. Téléviseur ou radio sont allumés en permanence pour faire un bruit de fond. Il a peur du silence, du vide, de la solitude... Il s'installe dans une dépendance à autrui (parents, conjoint, enfants...) ou fixée sur un « objet transitionnel » comme la cigarette, l'alcool, le travail, la drogue, les fringues, la nourriture, l'argent, le pouvoir, l'apparence ou le sexe, voire la religion... Certains prennent refuge dans une Église, une secte, une communauté, un groupe politique qui les accepte et dirige leur vie, pense à leur place et leur fournit les repères dont ils manquent. D'aucuns recherchent la sécurité d'un emploi, la sécurité financière, la sécurité amoureuse, tentent d'assurer cette dernière par les liens du mariage. Mais sécurité rime rarement avec liberté, encore moins avec intimité. On privilégie les habitudes sur l'aventure. On s'accroche à ses convictions. La tendance est au conformisme quand ce n'est pas l'extrémisme et ses certitudes absolues. **On cherche de la sécurité alors que ce qui nous a manqué est l'intimité.** Dramatique quête, jamais comblée puisque nous nous trompons d'objectif.

La confiance de base ne se trouve pas dans le chocolat, pas plus que dans le sexe ou l'argent, bien que nous tentions parfois de l'y chercher. Elle se restaure dans le lien à autrui. C'est pourquoi les psychothérapies brèves, si efficaces sur nombre de problèmes tels que phobies ou traumatismes, ne sont pas adaptées pour réparer le manque de sécurité intérieure. Cette dernière se répare dans l'éprouvé de la solidité du lien, sur la durée. Nous avons besoin d'incorporer des expériences de relation positive pour l'élaborer. On ne trouve pas cette sécurité intérieure seul. Le contact physique est irremplaçable. Freud était conscient de son importance, il posait sa main sur le ventre et sur la tête de ses patients. Depuis, de nombreux psychothérapeutes ont affiné leurs techniques et gestes de contact.

Un jour, une cliente se jette sur son psychothérapeute, Dan Casriel[1], pour le remercier. Elle l'enlace avec tant de force qu'ils se retrouvent tous deux à terre. Elle ne le lâche pas. La cliente est sur lui, elle le serre dans ses bras. Dan Casriel lutte tout d'abord, puis il sent un sanglot monter. Sa poitrine se soulève, il pleure à gros sanglots. Percevant ce contact sur lui, il mesure ses carences. Il n'a jamais été enveloppé ainsi. Il pleure le manque de son enfance et sort de cette expérience profondément réparé. Il en a tiré un outil thérapeutique, le *bonding*. *Bond* = lien, *bonding* = établir le lien. Le psychothérapeute tient solidement son client, l'enveloppe de son corps, lui fournit une sécurité physique qui permet à la personne de laisser de très profondes émotions émerger. Contenue par son psychologue, elle peut laisser libre cours à l'expression de ses terreurs, de ses rages anciennes, et ainsi s'en libérer. Dans le lien, la personne reçoit la sécurité nécessaire pour oser ressentir et faire émerger ses émotions anciennes.

Les rendez-vous réguliers, l'attention inconditionnelle du psychothérapeute sont aussi des éléments qui donnent à la personne le sentiment d'avoir sa place. Dans cet espace thérapeutique défini par des règles claires, elle peut se sentir acceptée, reconnue, entendue. Elle (re)construit sa sécurité de base.

---

1. Psychothérapeute américain.

Peut-on restaurer cette sécurité intérieure sans psychothérapie ? Certains la trouvent dans l'amour. D'autres l'y cherchent sans jamais l'y trouver. La transcendance permet à certains de se sentir protégé, tenu dans les bras par un Dieu, par quelqu'un de plus grand, de plus puissant que soi. Un parent !

C'est l'enfant en nous qui a besoin de reconstruire sa sécurité. L'adulte que nous sommes devenu peut aller à sa rencontre. Voici un passage d'une lettre qui m'a été adressée par Henri, âgé de vingt ans :

« Il est très tard ce dimanche soir, le petit garçon qui est en moi s'est réveillé. Il est venu me voir, il est là à côté de moi, je le prends sur mes genoux pour lui faire un câlin. Il y a un autre garçon plus âgé d'environ quinze ans, il a des yeux noirs comme s'il avait les yeux au beurre noir. Je me sens en famille, le grand garçon a du mal à s'approcher mais il va venir. Il est malheureux, comme moi. On se fait des câlins. C'est la première fois qu'une telle chose m'arrive, ça fait du bien. Suite à la lecture de ton livre [1], j'ai commencé à écrire sur mon cahier, j'ai commencé à voir mon petit garçon. De temps en temps, je suis allé pleurer sur mon lit en serrant très fort mes coussins. Le petit garçon s'est approché, il m'a fait ressentir sa souffrance. Il a beaucoup souffert mais il sourit maintenant, il semble heureux, je l'aime, il est beau. Je le serre fort dans mes bras. »

---

1. *Je t'en veux, je t'aime*, Éditions Jean-Claude Lattès, 2004, Marabout, 2005.

Pour restaurer votre confiance de base

Réapprenez à respirer. Inspirez profondément en visualisant l'air qui pénètre tout le long de votre colonne vertébrale, jusque dans votre sacrum. Pour vous aider, placez votre main sur le sacrum, inspirez dans votre main. Expirez bouche ouverte sans souffler, laissez simplement, tranquillement, sortir l'air de votre corps.

Asseyez-vous, face à vous-même, en silence, dix minutes par jour.

Avec votre psy : allez à la rencontre des émotions profondes de manque. Demandez-lui de vous prendre dans ses bras et de vous accueillir dans son cœur.

Allez à la rencontre de l'enfant à l'intérieur de vous[1].

Vous, l'adulte, allez mentalement écouter cet enfant que vous étiez et lui donner l'attention et l'amour dont il a besoin.

Murmurez-lui ces messages importants (à dire aussi à vos enfants sans modération) : « Je t'aime », « Tu existes pour moi, tu es important(e) pour moi », « Tu es le (la) bienvenu(e). »

Et surtout écoutez-le se confier à vous. Laissez les souvenirs remonter et soyez l'adulte dont vous auriez eu besoin auprès de vous à l'époque.

Souvent, dans la journée, câlinez mentalement l'enfant en vous. Adressez-lui votre tendresse intérieure, sans mots.

Achetez des coussins et même une peluche, un objet transitionnel qui vous a peut-être fait défaut quand vous étiez petit. Une peluche, c'est doux, c'est tendre et on peut y projeter le petit enfant que nous étions.

---

1. Cet exercice de relaxation-visualisation est enregistré sur CD, en vente auprès de l'auteure. Voir à la fin de cet ouvrage.

Diminuez les excitants (café, cigarette, sucre blanc...) pour vous rapprocher de votre corps.

Si vous consommez des médicaments, voyez votre médecin-psychiatre traitant pour diminuer voire stopper antidépresseurs, somnifères ou autres psychotropes (attention, il vaut mieux consulter : certaines substances psychotropes ne peuvent s'arrêter brutalement sous peine d'effet rebond). Les médecines dites douces peuvent apporter un soutien pendant la transition.

Marchez dans la campagne, sur la plage ou à la montagne... Regardez la nature autour de vous... La beauté d'un site éveille en nous un sentiment d'appartenance qui peut aussi aider à reconstruire le sentiment de sécurité intérieure.

Faites-vous masser et massez vos enfants.

Un massage douceur, qui vous permettra de sentir des mains caresser votre corps. Rien ne remplace les mains d'un autre humain pour dessiner les contours de notre enveloppe corporelle. Nous avons beaucoup plus besoin de contacts physiques que nous n'osons le penser.

Choisissez parmi les arts martiaux celui qui vous conviendra le mieux. Inscrivez-vous à un cours pour travailler votre enracinement, le contact de vos pieds sur le sol, et sur le hara, ce centre d'énergie, placé deux doigts au-dessus de votre nombril.

La voie de l'art peut aussi vous séduire... Travaillez votre voix pour mieux permettre à votre voie de s'exprimer. Peignez, dansez, sculptez, écrivez, photographiez... Allez au plus profond de vous-même. Il ne s'agit pas de copier l'œuvre d'autrui, mais de sentir qui vous êtes. Quel que soit le moyen que vous choisirez, à travers ce mode d'expression vous vous mettez à l'écoute de vous-même. « C'est moi, je m'aime, je me sens vivre, je me sens exister. Je sens ma propre vibration. Je suis moi. »

Favorisez toute occasion d'expression artistique (également chez vos enfants) en privilégiant les espaces sans jugement, le but étant l'émergence de la sensation d'être soi et non de « faire beau » [1].

**LES MOTS À SE DIRE, À AFFICHER
SUR VOTRE RÉFRIGÉRATEUR
ET/OU AU-DESSUS DE VOTRE LIT :**

J'ai le droit d'être moi.
Je suis à ma place.
Je m'aime.

---

1. Une bonne adresse pour reprendre confiance : arnostern.com/fr/clos-lieu.htm

CHAPITRE 2

QUI SUIS-JE ?
SAVEZ-VOUS AFFIRMER
VOTRE PERSONNE ?

— Tu viens ? On va au resto. Tu préfères la pizzeria ou le chinois ?

— Je ne sais pas, comme tu veux.

Savez-vous choisir, osez-vous avoir des préférences ou suivez-vous volontiers les désirs d'autrui ? Certaines personnes ont tant appris à n'avoir ni désir ni besoin qu'elles ne savent même pas ce qui leur plaît davantage. Sous couvert de privilégier la qualité du lien – « Ce qui te fait plaisir me fait plaisir » –, elles dissimulent leur absence de désir propre. Faire plaisir est l'objectif premier, au prix de son individualisation.

Dans l'incapacité de dire non, ces hommes et ces femmes sont « trop gentils ». Terrorisés par le conflit, ils ne s'opposent pas. Et quelle meilleure façon de ne pas se confronter que de ne pas avoir d'idée propre. On entend leurs difficultés à s'affirmer et leur quête d'approbation dans leur langage, ponctué de : « tu vois », « n'est-ce pas », « tu ne trouves pas ? ».

Non, non, non et non. Dans la vie de chaque être humain en développement, il y a une période marquée par un non quasi systématique. Entre dix-huit mois et deux ans, tout enfant traverse cette étape, marquée par l'opposition et les nombreuses colères. L'enjeu est d'importance, il s'agit de son individuation.

L'étape du non est incontournable. Elle a une fonction, elle poursuit un objectif. Elle peut être très courte si elle est acceptée et accompagnée positivement par les parents, et donc si elle atteint son but de permettre à l'enfant de se sentir exister en tant que personne séparée. Elle peut durer longtemps, voire toute une vie, si elle est empêchée, réprimée, dévalorisée. La période du non est dite de contre-dépendance. Durant la période de dépendance, le bébé a construit sa sécurité intérieure. Il a grandi. Il s'agit maintenant pour lui de sortir de la symbiose. Il veut devenir une personne séparée. Il veut exister pour lui-même. Il veut connaître les frontières de son moi. Il cherche non pas les limites de ses parents, comme certains veulent le croire, mais ses propres limites. Il cherche à définir : qu'est-ce qui est MOI et qu'est-ce qui est NON-MOI ?

Pour cela il lui est nécessaire de s'opposer au désir de ses parents. Car s'il accomplit quelque acte que ce soit quand ses parents le lui demandent, il ne peut savoir s'il le fait parce qu'il en a envie ou parce qu'il est le prolongement du désir de ses parents. Suis-je le sujet de mes actes, ou ne suis-je qu'un objet ?

S'il ne se sent pas accepté dans ses refus, dans sa recherche de lui-même, soit il se bloquera dans l'opposition systématique, soit il redeviendra le petit garçon gentil à sa maman, un petit garçon qui ne tentera plus d'être lui-même parce qu'il aura interprété que c'était dangereux pour lui, ou pour sa mère, en tout cas pour la relation. **Dès que l'on traite un enfant en objet, on lui ôte la possibilité de se vivre sujet.**

Pour enraciner notre sentiment de sécurité intérieure, nous avions besoin des bras de maman ; pour construire le sentiment de confiance en notre personne propre, nous avons besoin de son regard bienveillant, de son respect et de permissions adéquates : « **Tu as le droit d'être toi et différent de moi** », une phrase qui se décline en de multiples permissions. Tu as le droit de sentir les choses différemment de moi, d'aimer ce que je n'aime pas et de ne pas aimer ce que j'aime. Tu as le droit d'éprouver de la colère, de la tristesse, de la peur, de la joie, tu as le droit de ressentir ce que tu ressens. Tu as le droit d'avoir des besoins et de les exprimer. Tu as le droit d'avoir des désirs et de les exprimer. Tu as le droit de penser différemment de moi. Tu as le droit d'avoir des opinions différentes des miennes. Et surtout :

Je te regarde.

Je te respecte.

Ce respect inclut le respect de notre corps, de nos pensées, de nos émotions et sentiments, de nos droits, de notre territoire, de ce que nous possédons, même si ce ne sont que nounours déchirés, capsules de bière collectionnées, vieux papiers, marrons ramassés au square, coquillages et autres trésors.

Nous traversons une seconde période d'opposition au moment de l'adolescence. L'enjeu est une nouvelle fois l'affirmation de son individualité, sur le plan des valeurs cette fois. L'adolescent a besoin de se séparer de celles de ses parents pour trouver les siennes propres. L'enjeu est « je veux être certain que je pense par moi-même ».

Avoir confiance en sa personne propre signifie avoir confiance en ses propres sensations, émotions, sentiments et pensées. Qui suis-je? Je suis MOI! La réponse ne fait alors aucun doute pour vous. Vous savez ce que vous voulez. Vous avez confiance en vos sensations. Votre goût est sûr. Vous n'hésitez pas pendant des heures entre deux sacs à main. Vous savez choisir ce que vous désirez manger au restaurant. Vous connaissez vos besoins et savez les manifester. Vous savez exprimer vos émotions. Vous n'avez besoin de personne pour vous dire que penser. L'avis des autres vous indiffère. Vous avez confiance en votre intuition, cette petite voix qui vous parle à l'intérieur. Vos opinions sont claires, vous êtes capable de monter au créneau pour les défendre. Pour autant, vous avez suffisamment confiance en vous pour vous remettre en cause. Vous acceptez de vous tromper et vos convictions sont susceptibles d'évoluer en fonction des informations que vous obtenez... Vous avez confiance en votre personne.

Quand elle nous fait défaut, cette confiance se reconstruit en osant braver l'interdit parental d'opposition, en retrouvant nos émois d'enfant dans un travail psychothérapeutique et dans notre quotidien, en apprenant à dire non et en faisant des choix. La plupart des psychothérapies accompagnent leur client sur ce chemin de la différenciation et dans cette quête : « Qui suis-je? » Parallèlement, pour (re)construire cette confiance, nous avons à nous découvrir à travers quelques expériences, celles que nous n'avons pas pu faire enfant. Nous avons besoin d'affirmer des désirs, des besoins, de nous tromper, de constater que cela n'a pas tant d'importance. Nous avons besoin d'apprendre à passer avant les autres, bref de traverser la naturelle période d'égoisme qui permet de sentir son *ego*, d'en discerner les contours, suffisamment pour être simplement soi par la suite.

Il s'agit finalement de faire sa « crise d'adolescence ». Il n'est jamais trop tard pour chercher sa personnalité !

Pour restaurer la confiance en vos désirs et en vos besoins

Commencez simplement en faisant vos courses. Entrez dans une boulangerie, regardez attentivement les pains et... ressortez sans rien acheter.

Dans une pâtisserie, demandez un croissant, puis ravisez-vous et préférez un palmier... Ah non, finalement, vous voulez le croissant.

Pour être plus à l'aise, choisissez des commerces éloignés de votre domicile.

Entraînez une copine (ou un copain si vous êtes un homme) dans les grands magasins et essayez toutes sortes de vêtements. Ne vous limitez pas à ce que vous avez l'habitude de porter. Pour vous donner davantage de liberté, interdisez-vous d'acheter le jour même. L'objectif est de vous regarder dans toutes sortes d'accoutrements. Et si l'habit ne fait pas le moine, il reste qu'on se sent différente en mini-jupe et chemisier sexy qu'en pantalon jogging et gros pull tombant. Explorez ces sensations et regardez comme votre image change selon les vêtements que vous osez.

Apprenez à vous maquiller, changez de coiffure, travaillez votre look, non pour singer les autres et devenir autre que celle que vous êtes, mais pour oser vous révéler à vous-même.

Au restaurant, sortez du menu ! Prenez trois entrées plutôt qu'une entrée, un plat, un dessert. Demandez un changement de garniture. Modifiez les ingrédients de la pizza... Faites des expériences. Osez « embêter » le serveur...

On vous fait une demande ? Dites non systématiquement puis réfléchissez et donnez votre réponse.

Prenez la parole trois fois par jour. Écoutez vos enfants trois fois par jour pendant cinq à sept minutes.

Lancez un sujet de conversation au moins une fois par jour.

Jugez les comportements de vos parents à votre égard.

De temps en temps, demandez à vos enfants de vous juger. Écoutez leur jugement et reconnaissez la part de vérité qu'il contient.

Vous n'avez pas d'avis? Défendez-en un pour l'expérience.

Acceptez et valorisez l'avis de vos enfants, même si ce n'est pas le vôtre. Permettez qu'un enfant ait un avis différent de celui de son frère.

Invitez vos enfants à choisir leurs vêtements dans la penderie dès l'âge de deux ans. Autorisez-les à préférer un pull à un autre, même si ce dernier ne vous plaît pas.

Offrez des choix de nourriture. Tu préfères tes carottes râpées ou à croquer? Souvenez-vous que les goûts des enfants changent énormément, leurs papilles peuvent réagir différemment d'un mois sur l'autre. Ils ont le droit d'aimer un aliment un jour et pas le lendemain. Si le goût des adultes est relativement fixe, celui des enfants est encore très labile. Le goût n'est pas seulement affaire de « psychologie », c'est un sens physique.

Évitez de choisir pour eux leur coiffure.

Décidez de vous passer de vin, d'alcool, de café ou de viande pendant une période d'un mois. Attention, il ne s'agit pas de faire un régime. L'objectif est de créer une différence avec autrui pour résister à l'influence sociale. Vouloir maigrir est justement vouloir se conformer à l'influence sociale, ce serait donc contre-productif ici.

**LES MOTS À SE DIRE ET À DIRE
À VOS ENFANTS EN TRANSFORMANT
LES « JE » EN « TU » :**

J'ai le droit d'être différent.
J'ai le droit d'avoir un goût personnel.
J'ai le droit d'être en colère.
J'ai le droit d'avoir des désirs et des envies.
J'ai le droit d'avoir mes propres idées.
J'ai le droit de ne pas penser comme tout le monde.
Tu es toi et je suis moi.

Chapitre 3
« Je n'ai pas les compétences »

— Je n'ose pas me lancer comme psychothérapeute. Je n'ai pas assez confiance en moi, je ne me sens pas compétente, me confia un jour une apprentie psychothérapeute.

– J'espère bien ! lui répondis-je. Commencer dans un métier en ayant confiance en soi serait certainement préjudiciable au client [1]. La confiance en soi se fonde sur l'accumulation d'expériences. Quand on n'a pas encore d'expérience dans un domaine, on ne peut avoir confiance en soi. On ne se lance pas quand on est compétent. On se lance et on devient compétent jour après jour, et après nombre d'échecs.

– Je ne ferai jamais aussi bien que toi.

– Jamais, je ne sais pas. Mais aujourd'hui, j'espère bien que non. Si tu faisais aussi bien que moi en débutant, c'est

---

1. Un psychothérapeute reçoit-il des patients ou des clients ? Patient vient de *pathos*, souffrance. Les personnes qui viennent me voir ne sont pas « malades ». Pour ma part, je préfère le terme de client, qui restaure une relation égalitaire et s'inscrit dans un contrat clair. Le client paye un service que je rends. Certains y voient une connotation mercantile. N'oublions pas que commerce et communication ont les mêmes racines. Le commerce, pour autant qu'il soit équitable, est facteur de paix entre les peuples.

que je n'aurais pas beaucoup progressé en vingt-quatre années d'exercice !

On voudrait tout savoir, tout maîtriser parfaitement sans apprentissage !

Nous aimerions être déjà compétent, sans avoir à apprendre. Certaines personnes n'osent pas avancer dans leur vie, paralysées par la crainte de ne pas avoir les compétences requises. Combien de gens m'ont confié dans mon cabinet : « Je ne peux pas accepter cette promotion, ou briguer tel poste, je ne suis pas sûr d'en avoir les compétences. » Ils étaient surpris de m'entendre rétorquer : « Moi, je suis certaine que tu ne les as pas »... Devant leur mine déconfite, j'ajoutai : « Et je ne vois pas pour quelle raison cela t'empêche d'aller de l'avant. »

Personne n'est censé avoir les compétences quand il démarre dans une nouvelle fonction. **Dans quelque domaine que ce soit, la compétence s'acquiert par l'activité et l'expérience.** Ce fantasme sur les compétences qu'on a ou non m'a souvent interpellée. Or, c'est l'évidence, la première fois que vous montez dans une voiture, vous n'êtes pas capable de la conduire. La première fois que vous faites des meringues, vous avez besoin de la recette et de conseils ! La première fois que vous faites l'amour, vous n'êtes pas un expert ! C'est normal, c'est naturel et c'est sain ! C'est justement votre incertitude, votre défaut de confiance qui vous permettront d'apprendre mieux.

Sortons de ces schémas du passé. La question à se poser n'est donc pas « Ai-je la compétence ? » mais : « Puis-je développer telle ou telle compétence ? » Et surtout, bien sûr : « Ai-je envie de la développer ? » Chaque nouveau travail, chaque nouvelle fonction, va mettre en jeu différentes compétences. Nous en maîtrisons déjà certaines et nous allons en acquérir de nouvelles. Nous serons enfin compétents... et on nous proposera de grimper un échelon supplémentaire et à nouveau de faire face à une certaine incompétence.

Peu après la phase du NON, vers deux ans, deux ans et demi, trois ans, survient celle du TOUT SEUL. L'enfant veut sentir son pouvoir sur les choses, ce dont il est capable par lui-même. Il est « grand ». Il veut s'habiller tout seul, manger tout seul, descendre les escaliers tout seul... Quand les parents font à sa place, par manque de temps, par impatience, pour se simplifier la vie, ou, pire, par mépris pour les capacités de l'enfant, celui-ci n'a pas l'occasion de sentir par lui-même ce dont il est capable. Pour construire la confiance en ses compétences, l'enfant a besoin de recevoir la permission d'explorer, d'échouer et de recommencer. Il a besoin d'encouragements, de soutien logistique, de la permission d'échouer et de se relever, et du respect de ses productions : dessins, peintures, collages, chefs-d'œuvre en pâte à modeler... Et surtout pas de jugement ! Ni sur ses résultats, ni sur lui-même. Les messages que certains parents imaginent mobilisateurs : « tu es nul », « quel débile ! », « incapable », « tu n'arriveras jamais à rien », « idiot ! » et autres joyeusetés, sont contre-productifs à long terme. « Mais ça marche, me dit un père, quand je le secoue comme ça, il travaille mieux à l'école, les notes sont là pour le prouver. » Oui, c'est vrai, et les études scientifiques sont aussi là pour prouver que ce n'est qu'une embellie très provisoire. Effectivement l'enfant (ou l'adulte) peut réagir en mettant de l'énergie dans son travail, mais l'effet des petites phrases assassines ne va pas tarder à se faire sentir. Il perd ses moyens. « On m'a tellement répété que j'étais nulle, à l'école comme à la maison, que j'ai fini par le croire, j'ai beaucoup de mal à avoir confiance en mes capacités », me confie Martine.

L'enfant nourrit aussi sa confiance par la confiance que lui font maman et papa en lui confiant des responsabilités, des missions, des courses...

Si votre enfance vous a permis de faire la preuve de vos capacités, si vous vous êtes frotté aux difficultés et avez su les maîtriser, si vous avez appris à tomber et à vous relever, si vous avez été valorisé, encouragé, soutenu dans vos explorations, vous avez probablement confiance en vos compétences. Avoir cette confiance, c'est vous penser capable de faire ou d'apprendre à faire ce que vous désirez et/ou ce qu'on vous demande. « Confiant » ne signife pas « tout-puissant », « tout sachant ». Vous êtes conscient de vos atouts comme de vos lacunes. Face à un travail, vous voyez ce que vous pouvez mettre en œuvre pour le réaliser, vous ne vous posez pas la question de savoir si vous êtes compétent ou non, vous savez que vous pouvez le devenir. Vous aimez apprendre et ne craignez pas de faire des erreurs, tant vous êtes convaincu qu'on en tire toujours de l'information. Vous appréciez les challenges, les défis, les situations complexes qui vous permettent de mettre en jeu vos capacités et ainsi de les améliorer jour après jour. Vous vous attelez volontiers à des tâches légèrement au-dessus de votre niveau, parce que vous ne vous contentez pas de ce que vous savez déjà, vous trouvez plaisir à développer vos compétences.

Pour restaurer la confiance en vos compétences

Faites mesurer votre QI[1].

Combien de gens se vivant « différents » ont pu ainsi prendre conscience de leur haut potentiel intellectuel ! Un potentiel laissé en jachère et parfois totalement insoupçonné parce que les résultats scolaires obtenus ne le laissaient pas imaginer. Si vous faites mesurer le QI de vos enfants, n'oubliez pas qu'il n'a pas de

---

1. Vous pouvez aller voir un psychologue spécialisé ou prendre contact avec une association.

valeur intrinsèque. Faites-le faire au moins deux fois, à six mois d'intervalle, par un psychologue spécialisé.

Faites un bilan de compétences. Les autres peuvent nous aider à voir ce que nous ne voyons pas. Nous ne sommes pas toujours conscients de ce que nous avons construit par nos expériences de travail et de vie. Nous n'osons pas toujours voir nos atouts. Même quand nous n'avons pas vécu d'humiliation, on nous a tant appris « l'humilité » qu'il nous est parfois difficile de reconnaître la réalité de nos compétences.

Valorisez les compétences de vos enfants. Sans les dévaloriser ni les survaloriser, aidez-les à voir ce qu'ils réussissent.

Inscrivez-vous à un cours de gym, de danse, de yoga, à une activité physique qui vous plaise et vous aide à renforcer votre aisance corporelle.

Apprenez à mieux gérer vos émotions, participez à des groupes de développement personnel, des stages de formation qui vous enseignent l'écoute et l'affirmation de soi, la communication non violente et l'empathie.

Lisez un journal, allez au cinéma ou écoutez une émission dans le but très clair de parler ensuite de cette émission à une personne. Préparez éventuellement : sur cet article, j'ai à dire...

Mémorisez les informations, mais surtout forgez-vous une opinion sur le sujet. Cette opinion évoluera au fur et à mesure des nouvelles informations que vous recueillerez et de vos discussions avec vos amis, mais avoir une opinion permet de converser. Sinon, vous écoutez passivement.

Pour vos enfants :

Confiez-leur la réalisation d'un journal de la famille qui sera envoyé aux parents et amis en guise de carte de vœux.

Vincent veut partir en Égypte? Invitez-le à rassembler des documents et à préparer un bref exposé pour convaincre le reste de la famille.

Pendant un voyage, proposez à vos enfants la rédaction d'un carnet de voyage avec photos... Ils le présenteront aux amis et aux grands-parents.

Saisissez au vol une des affirmations péremptoires de Solène et, plutôt que de rectifier, invitez-la à se documenter et à asseoir son point de vue pour le défendre au moment du dîner familial.

Faites un bilan, dressez l'inventaire de vos points forts et de vos points faibles. Misez sur vos points forts et voyez comment vous améliorer sur vos points faibles. Proposez à vos enfants de faire de même.

Mes compétences physiques :

Mes compétences émotionnelles :

Mes compétences relationnelles :

Mes compétences intellectuelles :

Quelles capacités vous font défaut et désireriez-vous acquérir ?

Pour acquérir une nouvelle compétence, une nouvelle qualité, utilisez la technique du comme si[1].

Faites tout simplement comme si vous aviez déjà cette qualité une demi-heure par jour... Puis prenez conscience que si vous avez pu faire comme si vous l'aviez, c'est bien que vous l'avez. Vous n'avez plus besoin de faire comme si, vous la ressentez en vous. Reste à la perfectionner par l'expérience. Prenez des risques, osez... Cette technique est très efficace pour les parents comme pour les enfants.

---

1. Cette technique et celle de la modélisation sont plus précisément explicitées dans mon livre *Trouver son propre chemin*, Presse Pocket, 1992.

La modélisation des capacités :

Choisissez une personne qui possède la compétence que vous désirez acquérir. Observez-la attentivement, puis mettez-vous à l'intérieur d'elle. Voyez ce qu'elle voit, écoutez ce qu'elle entend, ce qu'elle se dit à l'intérieur. Sentez ce qu'elle ressent. Prenez les mêmes postures, faites des gestes similaires... et sentez ce qui se passe en vous.

**LES MOTS À VOUS DIRE ET À DIRE
SANS MODÉRATION À VOS ENFANTS.
MURMUREZ-VOUS CES MESSAGES
IMPORTANTS :**

Tu es capable.
Tu peux le faire.
Tu as les ressources en toi pour réussir.
Tu as le droit d'échouer.
Il est important de se tromper pour apprendre.
Plus je fais plus je deviens compétent.
J'ai le droit de ne pas être parfait.
J'ai le droit de faire des erreurs.
J'ai le droit d'échouer et de me relever.

CHAPITRE 4
LA CONFIANCE RELATIONNELLE

Un étranger? Chouette! Quelqu'un de nouveau à découvrir. Vous êtes curieux d'autrui, passionné par la diversité humaine. Vous allez facilement au-devant des autres. Vous aimez les gens et ils vous le rendent bien. Vous êtes partout chez vous! Vous trouvez facilement votre place au sein d'un groupe et sur terre en général. Vous vous ennuyez rarement en société, vous avez toujours quelque chose à dire, à raconter, à partager. Votre maison est toujours ouverte. Vous recevez fréquemment des amis et vous vous rendez aussi volontiers chez eux.

Il y a des chances pour que vos parents aient eux aussi reçu de nombreux amis dans une maison accueillante. La modélisation joue un grand rôle dans la confiance relationnelle. Nous avons vu nos parents interagir avec autrui, ils nous ont appris à entrer en contact avec les autres, avec les amis comme avec les étrangers. Quand on a eu des parents très timides, on l'est souvent aussi. Il nous manque une partie de l'apprentissage de la socialisation. Selon les carences relationnelles de nos parents, nous n'avons pas été témoin des rituels qui ponctuent les rencontres. Nous ne savons pas comment inviter à dîner, nous ne savons pas discuter à bâtons rompus, nous ne sommes pas au fait des gestes qui soudent les liens ou nous sommes démuni devant une conversation intime.

Pire, nos parents nous ont peut-être appris que les autres sont dangereux, qu'ils sont différents, moins bien que nous, ou qu'on ne peut leur faire confiance... Par leur attitude, mais aussi peut-être par des paroles, ils nous ont transmis leur méfiance, leurs peurs, leurs jalousies, leurs rages, leurs haines parfois. Nous avons intégré des croyances sur nous-même : « je ne suis pas intéressant, je suis nul... » et sur la relation aux autres : « il ne faut pas se faire remarquer », « il ne faut pas déranger », « les autres n'ont pas à savoir comment nous vivons », « rien n'est jamais si bien fait que par soi-même », « il vaut mieux ne compter que sur soi ». Toutes croyances qui mettent de la distance avec autrui et sont profondément handicapantes dans les relations. D'autant qu'elles provoquent un renforcement des croyances négatives sur soi. Françoise se désespère : « Personne ne me remarque jamais. » Interrogée sur la raison pour laquelle elle prend rarement la parole en groupe, légèrement choquée par la question, elle annonce avec grand sérieux et sans avoir conscience du paradoxe : « Il ne faut pas se faire remarquer ! »

Nos parents ne sont pas seuls en cause. Nous rencontrons dans notre enfance bien d'autres personnes, notamment d'autres enfants, à l'extérieur et au sein même de notre famille... Nos relations dans la fratrie ont une grande influence sur notre aisance relationnelle future. La psychologie, focalisée sur la responsabilité des parents, a souvent sous-estimé l'importance des relations avec les pairs. Et les premiers pairs, ce sont les frères et sœurs. L'impact des petites phrases assassines d'un frère ou du mépris affiché d'une sœur ne doit pas être négligé. La position dans la fratrie ainsi que le nombre d'enfants jouent aussi un rôle. Les enfants de familles nombreuses ont souvent une aisance relationnelle plus marquée que ceux n'ayant qu'un frère ou une sœur. Ils ont l'habitude de demander, de donner, de refuser, de partager. Ils savent prendre la parole dans une discussion animée, à moins d'être le petit dernier qui ne trouve pas sa place...

Et il y a l'école, un lieu volontiers dit « de socialisation », où nous rencontrons d'autres pairs, les garçons et les filles de notre âge. Nous l'avons vu, une expérience de bizutage, de rejet, de racket, d'humiliation peut marquer durablement un enfant. Quand les premières rencontres sont blessantes, on hésite à s'ouvrir par la suite.

« Je ne suis pas cultivée, je n'ai pas d'humour, je ne me souviens jamais des histoires drôles, je n'ai aucune conversation », se lamente Dominique. Elle ne parle jamais d'elle : « Ma vie n'intéresse personne. » Parrallèlement, elle serine : « Je n'ai pas d'intérêt. » S'abstenir de parler d'elle lui assure le désintérêt d'autrui, mais elle n'en prend pas conscience. « Les autres sont tellement mieux que moi. » Pourtant, elle ne regarde ni n'écoute vraiment les autres. Son regard reste rivé sur elle-même. Elle se surveille en permanence, se préoccupe sans cesse de son apparence, de ce que vont penser les autres. Elle écoute en définitive beaucoup plus son monologue intérieur que la conversation des convives ! Il y a un véritable mur entre elle et les autres. Un mur qu'elle maintient par son attitude.

Dominique est centrée sur elle-même, ce qui a bien sûr pour effet de l'inhiber toujours davantage. Sans compter que, comme elle ne trouve pas sa vie digne d'intérêt pour les autres, elle mémorise peu. On mémorise facilement ce que l'on sait avoir l'occasion de réutiliser.

Les humains ont besoin les uns des autres. Il est donc justifié, dans une certaine mesure, de se poser la question de l'acceptation ou non de nos comportements par le groupe.

Certaines personnes, comme Dominique, sont paralysées à l'idée du jugement d'autrui. Elles l'imaginent le plus souvent négatif. « Que vont-ils penser de moi ? Que vont dire les gens ? » signifie en fait : « Ils vont penser du mal de moi. »

D'où viennent ces certitudes négatives de Dominique sur elle-même ? Du jugement de son père. Il la rabrouait sans cesse : « Quand tu auras quelque chose d'intéressant à dire, on t'écoutera », et il discourait avec les frères aînés de Dominique. À la fin du repas, il se tournait vers sa fille et lui lançait : « Alors tu as quelque chose à dire ? » Et bien sûr elle n'avait rien à dire. Peut-on parler ainsi sur commande ? Avec de plus cette menace : ce doit être intéressant. Mais ce qui est intéressant pour une petite fille l'est-il aussi pour un papa ? Dominique aurait voulu parler de son quotidien, de son école, de ses jeux, de ses copines... Mais ce qui intéressait son père, c'était le foot, les voitures, la politique... Aujourd'hui encore, trente ans plus tard, au cours des repas, Dominique plaque un sourire sur ses lèvres, mais reste muette. Paralysée par l'idée de ne pas être intéressante, elle cherche désespérément quelque chose à dire. Quand elle trouve, ce n'est plus le moment, elle attend l'instant propice. À la fin du dîner, elle n'a pas ouvert la bouche. Les convives s'égaillent... Elle se retrouve seule.

Quand on manque de confiance relationnelle, on se tait, on se cache, on tente de passer inaperçu, tout en regrettant que personne ne fasse attention à nous ! Ou bien on se construit un masque, on se compose une fausse personnalité.

Pour guérir, les stages en groupe sont utiles, on y teste ses comportements, on reçoit les impressions des autres dans une atmosphère de non-jugement, on peut faire la différence entre la réalité d'aujourd'hui et ce que nous ont raconté nos parents, on peut se dégager « en situation » des projections du passé en les analysant ensemble.

Il y a aussi toutes sortes d'actes simples et d'attitudes à cultiver au quotidien pour modifier notre relation aux autres, et par là notre confiance en nous face aux autres.

Pour restaurer votre confiance relationnelle

Adressez-vous à un inconnu (dans la file d'attente, sur le trottoir...) au moins trois fois dans la journée, pour lui demander l'heure, votre chemin ou la pharmacie la plus proche. Pour aider vos enfants à construire leur confiance relationnelle, faites-le devant eux, puis avec eux, puis invitez-les à le faire alors que vous restez en arrière.

Observez (et faites observer à vos enfants) la manière dont les autres s'y prennent pour faire ce que vous ne savez pas (ou ce qu'ils ne savent pas) faire. Regardez leurs postures, écoutez le ton de leur voix, observez les mimiques de leurs visages. Voyez aussi les signaux auxquels ils sont attentifs. Puis prenez des risques : imitez-les !

Exercez-vous à l'empathie. Centrez-vous sur les sensations ou les sentiments d'une personne : un collègue, un ami, un étranger... Faites des réflexions reflétant leur vécu. Par exemple à un guichetier : « Ce doit être éprouvant pour vous quand les gens sont énervés d'attendre. » Aidez vos enfants à identifier les sentiments et les émotions des autres. « Ton copain, quand tu lui as dit/quand la maîtresse lui a dit/quand il est tombé... qu'est-ce qu'il a ressenti ? Imagine ce que tu ressentirais si tu étais à sa place ? »

Acceptez les invitations qui vous sont proposées ! Dotez-vous à chaque fois d'un projet personnel lors de ce repas ou de cette soirée. Cela vous évitera d'être passif, diminuera vos peurs, en vous aidant à diriger vos pensées vers l'action et non sur la manière dont les autres vous perçoivent. Choisissez un objectif à la fois, tout au moins au début (et exercez aussi vos enfants à cette pratique). Par exemple :

– *Ce soir, je parle avec au moins un homme que je ne connais pas.*

– *J'accepte trois danses.*

– *J'initie la conversation une fois.*

– *Je me joins à un groupe déjà constitué.*

– *Je propose une coupe de champagne à une personne.*

– *Je parle de mon voyage en Thaïlande, de la dernière découverte scientifique sur laquelle j'ai vu un reportage à la télévision... (je prépare ce que j'ai envie de dire).*

Invitez à dîner une personne ou un couple que vous connaissez peu. Puisez des idées dans le chapitre « Comment font-ils ? » (p. 127) et menez la conversation en ménageant beaucoup de place à l'écoute de vos invités.

Proposez vos services. Quand on manque de confiance en soi, on n'ose pas donner, proposer de l'aide, convaincu que l'autre n'a pas besoin de nous.

Demandez un service à un voisin, le dépannage d'une tête d'ail, d'un peu de sel, d'un kilo de sucre... Attention, n'y envoyez pas vos enfants pour vous éviter d'y aller ! Ne le leur proposez qu'une fois qu'ils vous auront vu suffisamment souvent à l'aise avec ces demandes. Et au début, préparez les voisins par téléphone : « Vous auriez une tête d'ail pour me dépanner ? Je vous envoie mon fils pour venir la chercher, merci ! »

**LES MOTS À VOUS DIRE ET À SOUFFLER
À VOS ENFANTS :**

Je peux aller vers les autres.
Tout le monde partage les mêmes émotions et les mêmes
besoins.
J'ai droit à ma place.
Je suis utile par ma simple présence.
J'ai autant de valeur que les autres. Toute vie humaine a
une valeur.
Je participe à l'humanité.
J'ai le droit de demander, de donner, de recevoir, de
refuser.

CHAPITRE 5
COMMENT FONT-ILS ?

LISTE NON EXHAUSTIVE D'ATTITUDES
ET DE COMPORTEMENTS CONFIANTS

Quand je lui ai posé la question « Comment sais-tu que tu as confiance en toi ? », Daphné m'a répondu : « Je sais ce que je veux et je crois en ce que je fais. » Marc, lui, m'a confié : « Je sais où je vais. » Interrogeant différentes personnes de tous âges et conditions, j'ai entendu des choses aussi variées que : je sais que je vais toujours trouver une solution. Je m'aime assez. Je possède des ressources pour faire face aux problèmes. Je fais confiance à la vie. La vie ne va pas me laisser tomber. Même si j'essuie un revers, je me dis qu'elle a une intention. Je me plais bien. Je fais ce que j'ai envie de faire. Je me fiche du regard des autres. Je sais que j'ai les capacités pour réussir ce que j'ai entrepris. Je suis à l'aise dans tous les milieux. Je doute souvent d'un choix ou d'une direction, mais pas de moi. Je me dis souvent que tout échec sert à quelque chose. J'ai confiance en mes compétences et en ma capacité à rebondir. J'ai confiance en l'avenir. J'aime la vie. Je vais vers les autres. Je suis qui je suis. Je vais où ça me fait plaisir. Je sais que quand je dis quelque chose, je le fais. J'ai découvert que j'avais plein de capacités. Je suis conscient de mes atouts comme de mes limites. Je me sens debout. Je me sens un homme, porteur de valeurs, de projets, de beauté à faire.

Ces assertions ne sont peut-être pas si éloignées de notre vécu...

« La vie, c'est comme une bicyclette, disait Einstein, il faut avancer pour ne pas perdre l'équilibre. »

Hubert ? Il fonce. Il avance. Il fait. Il réalise. Il éprouve bien sûr des peurs mais ne se laisse pas arrêter par elles. Il se trompe parfois, tombe et se relève. D'autres attendent d'avoir confiance en eux pour agir ! Or, si vous n'agissez pas concrètement dans votre vie, vous pouvez payer votre psy trois fois par semaine pendant des années, rien ne bougera.

Certes, la psychothérapie vous aide à comprendre l'origine de vos croyances négatives, à lever les blocages émotionnels, à libérer votre énergie vitale. Vous sortez du cabinet de votre psy avec un peu moins de peurs qu'en y entrant. Mais le chemin reste à faire. La confiance en soi se nourrit des multiples retours, des autres, de nos réalisations, de nos succès. Elle s'éprouve dans le réel. Elle ne tombe pas du ciel. Nous voudrions que toute peur, tout risque, tout doute, toute incertitude nous soient ôtés. En fait, c'est de cela qu'il s'agit, de notre capacité à gérer nos émotions et à maîtriser nos peurs. Seulement si nous restons dans la situation qui nous ôte toute confiance, comment en sortir ? **Ne dites plus : « Je ne peux pas faire cela parce que je n'ai pas confiance en moi », car c'est *en ne faisant pas* le cela en question que vous maintenez votre défaut de confiance en vous.**

Chez les humains, l'imitation joue un grand rôle. C'est le plus puissant et le plus performant des processus d'apprentissage. Nous pouvons l'utiliser pour acquérir la confiance qui nous manque. Imiter ne signifie pas singer, mais modéliser, utiliser un modèle. Les gens à l'aise n'ont pas toujours conscience de leurs secrets, comme certaines personnes font la cuisine « à l'instinct », sans mesurer les quantités, sans prêter attention au temps de cuisson. En les observant, on peut tout de même dégager les composants de leurs recettes. Observez les gens à l'aise, non pour vous comparer, mais pour apprendre. Copiez leurs attitudes, leurs stratégies. Ils ont appris ce que vous n'avez pas eu l'occasion d'apprendre, parce que votre chemin de vie ne vous a pas fourni les expériences nécessaires, parce que des blessures ont inhibé votre développement naturel, parce que les modèles offerts par vos parents étaient dysfonctionnels...

Vous hésitez de peur de perdre votre authenticité ? Quand vous observez une personne qui fait la cuisine et lui demandez une recette, vous apprenez, tout simplement. Vous n'avez pas le sentiment de perdre votre identité en réalisant ce gâteau selon les indications. Sur les éléments de base de la recette, vous ajouterez votre touche personnelle.

Observons ensemble :

Quand Anne arrive dans un endroit inconnu, elle cherche des yeux quelqu'un à qui parler. Quand elle accroche un regard, elle ne se pose pas davantage de questions, **elle s'approche résolument de la personne et lui adresse la parole.** Les gens à l'aise vont vers les autres et se préoccupent plus des autres que d'eux-mêmes. Ils ne se demandent pas comment les autres vont les juger, ils sont dans la relation. Donc, Anne parle. **Son interlocuteur se sent valorisé par cet intérêt qui lui est porté, le lien est créé.** Pour entrer en contact, **elle met l'autre à l'aise** en faisant un commentaire sur ce qu'ils partagent tous deux ici et maintenant : « Il met du temps ce bus. » « Ces petits fours sont délicieux. » Que l'autre réponde verbalement ou par un sourire, elle ajoute une question pour impliquer son interlocuteur : « Vous attendez depuis combien de temps ? » « Vous avez goûté le canapé de tarama ? » Au début, la balle passe vite d'un camp à l'autre. Une phrase, une question. « J'emprunte rarement cette ligne, et vous ? » « J'ai été invitée par Catherine, et vous ? » Quand la conversation est lancée, chacun peut parler un peu plus longtemps, **tout en restant attentif à l'alternance de la parole**. L'autre parle un peu trop ? Anne prend la parole. Il reste silencieux ? Elle l'interroge. Elle sait que les autres n'osent pas toujours vous poser des questions, parce qu'ils craignent d'être indiscrets, ils n'osent pas toujours vous interrompre quand vous parlez trop de vous, de crainte d'être impolis.

Contrairement à un préjugé répandu, les gens à l'aise ne sont pas forcément plus intelligents, plus cultivés, plus quelque chose que les autres. Ils sont juste **plus « sympathiques », car ils osent le contact et se tournent vers vous**.

Quand on manque de confiance en soi, on n'ose pas plus s'avancer vers une personne solitaire dans son coin que vers un petit groupe en discussion animée. On est tant centré sur soi qu'on en oublie l'autre et ses besoins. **Aller vers autrui, c'est lui prêter attention, lui signifier qu'il est digne de notre intérêt.**

Ludivine se rapproche d'un petit groupe. La discussion est animée. Elle ne connaît personne. Elle se place à **la « bonne » distance**, ni trop près ni trop loin. Suffisamment près pour entendre ce qu'ils disent et pouvoir peu à peu se glisser dans la conversation, et suffisamment loin parce qu'elle n'a pas encore été intégrée dans le cercle. **Elle écoute et elle regarde.** Un sourire, un regard droit, un hochement de tête, un micro-geste d'une des personnes lui donne la permission de s'avancer plus près. **Elle prend part à la conversation sans**

y avoir été invitée plus que cela. Elle parle d'une voix claire, en regardant les autres dans les yeux.

Quand on n'a pas confiance en soi, on ne veut pas montrer qu'on ne sait pas, on craint de dire des bêtises, des idioties, de ne pas être intéressant, alors on se tait. Mais l'autre, les autres, peuvent interpréter ce silence comme du désintérêt, voire comme un jugement négatif sur lui, sur eux !

Ludivine n'attend ni une question, ni un « blanc » dans la conversation, elle intervient alors qu'une personne a à peine terminé sa phrase, au risque de couper la parole. Elle a entendu l'intention de ce qui a été dit, et va la reprendre dans sa phrase. C'est ce qui fait que la personne se sentira comprise et non interrompue. Contrairement à Françoise qui cherche à se faire accepter en adhérant à ce qui est dit, et qui commence ses phrases par « moi aussi » ou « je suis comme toi », **Ludivine ose se différencier**. Sa valeur est dans sa différence. Elle se montre. Les autres la voient, l'écoutent. Ludivine donne son avis, écoute et pose des questions tout en restant **attentive aux réactions des autres**. Souvent, quand on manque de confiance en soi, on traverse la vie les yeux fermés. On ne regarde pas les autres, on ne voit pas les signaux qui nous informent qu'ils en ont assez... On continue à parler, on les insupporte et on se confirme qu'on est insupportable.

Philippe arrive. **Il serre les mains franchement, et avec le sourire.** Il regarde ses interlocuteurs dans les yeux. Lorsqu'il embrasse une femme, il pose de vrais baisers sur ses joues. En face de lui, on se sent consistant. Quand un baiser sonne dans le vide, quand la main est molle, on a l'impression de ne pas avoir d'existence. Philippe **touche volontiers ses interlocuteurs**. Quand il fait une demande, il touche le bras. Ce contact sur le bras rend la personne plus disponible à ses requêtes. Poser la main sur l'épaule serait en revanche vécu comme une tentative de domination.

Quand Philippe est en conversation avec quelqu'un, **il prend la même posture que son interlocuteur, le ton et le volume de sa voix se synchronisent.** Il semble **réagir à vos émotions.** Il est très sympathique et même parfois empathique. On se sent bien avec lui. L'espace à l'intérieur de lui est vaste.

Plus vous parlerez facilement, plus les gens vous paraîtront vite familiers, plus vous serez à l'aise.

Par ailleurs, confiance en soi ne rime pas avec succès de toute entreprise. Si la confiance augmente clairement vos chances de réussir, il n'empêche que, dans l'ensemble, les personnes qui ont confiance en elles comptent plus d'échecs que les autres. Oui, les confiants échouent en moyenne plus que les autres, tout simplement parce qu'ils prennent plus de risques ! Les timorés ne se lancent même pas dans l'aventure. Par crainte de rater, ils ne tentent rien ou abandonnent avant même de commencer le match. « De toute façon, ça ne sert à rien, je suis nul... » Manquer de confiance en soi n'est pas avoir peur de ne pas réussir, c'est en réalité ne pas savoir perdre, ne pas pouvoir faire face à l'échec, refuser de se confronter et préférer conserver ses croyances négatives sur soi.

Plus vous prenez de risques, plus vous augmentez votre confiance en vous.

Julien va de l'avant, même s'il n'est pas certain de réussir. Confiant, il sait que de multiples facteurs interagissent. Il est prêt à faire de son mieux, conscient de ses ressources comme de ses faiblesses. Il ne craint pas de faire face à l'incertitude.

Avoir confiance en soi ne signifie pas réussir à tous coups, mais savoir que quelles que soient les circonstances nous ferons notre possible. **Julien ne fait dépendre son estime de lui-même que de l'énergie qu'il investit dans un projet et non du succès ou de l'échec de ce projet. Il est fier de ce qu'il fait, de ses efforts, quels qu'en soient les résultats.** Cela ne signifie pas qu'il se moque du résultat, il est capable de l'analyser et d'en tirer les conséquences pour une prochaine fois.

Dans un parking, Marine, la soixantaine, handicapée, s'appuie sur sa canne pour s'extraire de son véhicule de location. Le jeune loueur l'aide. Elle lui glisse gentiment :

— Vous êtes mignon !

Il sourit :

— Seulement ?

Elle rétorque :

— Oh, si vous me branchez là-dessus, non, pas seulement mignon. Je vous trouve très beau. D'ailleurs, je vous désire et si je m'écoutais, j'aurais envie de vous papouiller partout.

— Pourquoi pas ? lança le jeune homme.

Acceptant l'invitation sans complexe, Marine l'a touché, caressé. Il l'a accompagnée jusqu'à son wagon, et l'a embrassée.

« J'ai vécu un quart d'heure de pur bonheur. Si j'avais su plus tôt que c'était si simple ! Je ne me suis pas dit : j'ai soixante et un ans, lui vingt-cinq, je suis bien trop vieille pour lui. Je n'ai pas pensé : je suis handicapée, je boite, lui est jeune, beau. Je ne me suis rien dit du tout. Je lui ai dit ce que je pensais vraiment. »

Voici le conseil de Marine, stoppez le petit vélo dans la tête qui répète toujours les mêmes rengaines. Et **dites ce que vous pensez vraiment**. Dans la grande majorité des cas, les autres vous accueilleront positivement. Et si vous essuyez quelques échecs, eh bien, ce n'est pas si grave ! Un moment d'intimité comme l'a vécu Marine n'est pas garanti, mais **le bonheur d'être vous-même sera au rendez-vous**.

C'est une illusion de penser : « Je prends confiance en moi, et ensuite j'irai vers les autres. » C'est en allant vers les autres que se construit la confiance, dans la relation. Vous n'êtes pas dans un jeu vidéo, vous n'avez qu'une vie ! Quoi que ce soit qu'on ait pu tenter de vous faire croire, c'est la vôtre, vous êtes libre de la vivre comme vous l'entendez.

L'âge souvent apporte de l'assurance, le regard des autres nous importe moins. Nous acquérons de l'expérience et aussi une certaine distance, une meilleure compréhension des choses et des gens. Nos rencontres, nos amis, nos amours nous aident à nous voir différemment, à sortir de nos croyances négatives sur nous-même. Oh, leurs paroles ne suffisent pas à nous ôter nos résistances... Nous mettons un certain temps à accepter les encouragements de nos amis. Il ne sert à rien de nous seriner : « Fais-toi confiance. Mais si, tu vas y arriver... » La conviction doit venir de l'intérieur. Pour autant, les messages de nos amis ne sont pas inutiles. S'ils sont insuffisants, ils sont nécessaires. La confiance en soi se construit par l'expérience, par le retour des autres. On ne peut la construire en solitaire.

Certaines personnes n'ont pas plus confiance en elles à soixante-dix ans qu'à vingt... Elles ont probablement vécu sous la domination de quelqu'un, un mari ou une femme sur lesquels elles se sont reposées, ou... elles n'ont pas d'amis. La dépendance et l'isolement, nous l'avons vu, sont deux grandes sources de perte de confiance en soi.

Le temps seul ne suffit pas pour guérir, poser un regard différent sur vous-même et oser changer! Alors, assez pensé, passons à l'action.

QUATRIÈME PARTIE

ASSEZ PENSÉ, PASSONS À L'ACTION...

Voici une série d'exercices pour vous permettre d'aller plus loin sur le chemin de vous-même...

Prenez le temps qu'il vous faudra pour chaque exercice. Restez éventuellement plusieurs jours sur une page...

En tout cas, ne cherchez pas à en faire plus d'un par jour.

N'oubliez pas le nécessaire temps d'intégration, sous peine de n'obtenir qu'un progrès éphémère.

Bonne route !

1. ÉVALUATION

Sur une échelle de 0 à 10, mesurez votre confiance globale en vous :

0 = Je manque totalement de confiance en moi

10 = Je suis sûr de moi en toutes circonstances

1	2	3	4	5	6	7	8	9	10

Après la lecture de ce livre, votre score a probablement déjà augmenté. Maintenant, affinez. Où en êtes-vous en termes de :

— **confiance de base** ou sécurité intérieure, cette sensation corporelle d'être à votre place dans la vie, cette acceptation profonde de vous-même ?

1	2	3	4	5	6	7	8	9	10

— **confiance en votre personne**, en vos sensations, émotions et jugements ? Où en êtes-vous de votre capacité à affirmer vos désirs, vos besoins, vos pensées propres, à dire « oui », « non », « je veux », « je pense », « je » tout simplement, sans craindre de vous différencier des autres, d'être rejeté ou isolé ?

1 2 3 4 5 6 7 8 9 10

— **confiance en vos compétences?** « Je peux », « Je suis capable de »...

1 2 3 4 5 6 7 8 9 10

— **confiance relationnelle**, sociale? Confiance en l'autre, mais aussi et surtout en votre propre capacité à communiquer, à établir des relations authentiques et durables, à vous sentir à l'aise en société, dans des systèmes hiérarchiques organisés tout autant que dans des situations informelles.

1 2 3 4 5 6 7 8 9 10

Au vu de ces résultats, quels sont les points sur lesquels vous aimeriez progresser davantage?

J'aurais besoin de...

Fixez-vous un objectif à atteindre au cours du prochain mois. Par exemple, estimant votre confiance actuelle à 4, vous craignez de ne pas beaucoup progresser, vous fixez votre objectif à 6, ou au contraire, vous êtes très ambitieux, mais réaliste, vous placez la barre à 9...

Mon objectif global à la fin du mois est...

Mon objectif en termes

— de confiance de base :

- *de confiance en ma personne :*
- *de confiance en mes compétences :*
- *de confiance relationnelle :*

Notez dans votre agenda de revenir à ces échelles dans un mois...

2. JE REPÈRE MES ZONES DE CONFIANCE

Même ayant le sentiment de manquer totalement de confiance en moi, il y a forcément des zones de sécurité dans ma vie, des parties de moi que j'aime ou des domaines dans lesquels je me débrouille plutôt bien... Une bonne façon de maintenir mon manque de confiance est de ne pas voir ces parties positives.

Définissez votre (vos) zone(s) de confiance en vous. Ne vous sabotez pas en ne cochant pas une case sous prétexte que votre confiance en ce domaine n'est pas « totale ». Personne n'a jamais une confiance « totale », tout le monde doute parfois et commet des erreurs...

J'ai confiance en...

ce que j'éprouve	☐
ce que je vois	☐
ce que j'entends	☐
ce que je sens	☐
ce que je crois	☐
ce que je touche	☐
ce que je pense	☐
mes désirs	☐
mes compétences intellectuelles	☐

mes compétences culinaires ☐
mes compétences relationnelles ☐
mes compétences de bricolage ☐
une autre compétence : ☐
la vie ☐
ma résistance physique ☐
ma générosité ☐
mon intuition ☐
ma ponctualité ☐
mon humour ☐
ma capacité d'écoute ☐
une autre caractéristique : ☐

Vous avez coché quelques cases ? Bravo. Avoir conscience de quelques-unes de ses ressources permet déjà de sortir de cette étiquette « je manque de confiance en moi ».

Vous ne trouvez rien ? Cherchez mieux. Il y a forcément au moins un aspect positif dans votre vie, un domaine dans lequel vous pouvez vous faire confiance.

3. JE CONSIDÈRE MES QUALITÉS

Je fais la liste de mes vingt principales qualités.

Non, vous ne risquez pas de paraître orgueilleux. Aucun danger de voir vos chevilles enfler... Juste une chance de solidifier votre estime de vous.

1. *Je suis...*

2.

3.

4.

5.

6.

7.

8.

9.

10.

11.

12.

13.

14.

15.

16.

17.

18.

19.

20.

Vous n'y arrivez pas? Faites-vous aider par vos amis! « Qu'est-ce que tu aimes en moi, qu'est-ce que tu apprécies dans notre relation? Quelles sont trois qualités que tu me reconnais? » On croit se connaître, on est souvent surpris de ce que voient nos amis!

Veillez à panacher des qualités de tous ordres, affectives, intellectuelles, sociales, relationnelles, sportives, créatives, pratiques...

Reportez maintenant vos qualités sur des Post-it et collez-les chez vous sur le réfrigérateur, sur votre table de nuit, sur une porte, sur le miroir de la salle de bains...

À chaque fois que je pose mes yeux sur un de ces papiers, j'inspire profondément en éprouvant cette qualité en moi.

4. JE FAIS LE BILAN DE MES DIFFICULTÉS

Qu'est-ce qui vous gêne le plus ? Plus vous serez conscient des conséquences négatives de votre défaut de confiance sur votre vie, plus vous serez motivé à changer.

Quels comportements et attitudes découlent de mon manque de confiance ?

– *Je...*

– *Je...*

– *Je...*

Voyez comment cela vous limite (ou vous a limité) sur le plan :

– scolaire

– professionnel

– amoureux

– amical

– de l'expression artistique

– intellectuel

Précisez :

– Qu'est-ce qui serait changé dans ma vie si j'avais confiance en moi ?

– Qu'est-ce qui aurait changé si j'avais eu confiance en moi depuis mon enfance ?

– Qui serais-je aujourd'hui ?

– Quelles sont les conséquences sur ma vie de mon manque de confiance ?

5. JE PISTE MES ÉVENTUELS BÉNÉFICES SECONDAIRES

C'est une chose de prendre conscience de ce que modifie notre manque de confiance dans notre attitude envers les autres et le monde, et une autre de rêver à ce qui serait différent si seulement nous avions cette fameuse confiance. « Quand j'aurai confiance en moi, je quitterai ce travail, je passerai mon permis de conduire, je reprendrai des études, j'oserai dire mon amour... »

Et vous ? Que vous racontez-vous ?

Quand j'aurai confiance en moi, je...

Vous ne trouvez pas ? Voici une autre formulation qui pourra vous aider à découvrir ce qui se cache dans votre inconscient :

Manquer de confiance en moi m'empêche de...

Maintenant, conservez ce que vous venez d'écrire et changez la première partie de la phrase :

Manquer de confiance en moi me permet de ne pas...

Que découvrez-vous ?

Mon manque de confiance a été un atout pour la réussite de...

Après ce tour d'horizon éclairant le terrain, vous voyez votre problème avec davantage d'acuité. Vous avez peut-être déjà quelques clefs pour mieux cerner ce qui se passe en vous. Vous pouvez aussi utiliser cet exercice pour identifier ce que le manque d'assurance de votre enfant peut camoufler et regarder un peu plus loin que : « Il n'a pas confiance en lui. »

Suite à ce constat, que décidez-vous ? Allez-vous conserver votre manque de confiance avec tous les avantages qu'il offre ? Ou décidez-vous de vous en libérer ?

Je décide de...

Vous avez choisi de vous libérer ? De ne pas être complice des bénéfices secondaires de votre manque de confiance ? Bravo. Examinons maintenant ensemble les bénéfices primaires, c'est-à-dire les possibles origines de votre défaut de confiance.

Avant d'aller plus loin, notez ici la situation spécifique qui vous pose problème, les symptômes que vous présentez, le manque de confiance en vous dont vous aimeriez élucider la ou les causes.

6. JE RECONSIDÈRE MES CROYANCES

Quelles sont les croyances sur lesquelles je fonde mon défaut de confiance en moi ? Qu'est-ce que je me dis sur moi-même, sur les autres et sur la vie en général ? Par exemple : je ne suis pas intéressant, je suis nul, moche, incapable ou au contraire mieux que tout le monde, génial, sympa, gentil, les autres sont méchants et la vie est dure... Cet exercice est aussi très utile pour les adolescents.

– *Je suis...*

– *Les autres sont...*

– *La vie est...*

Vous en êtes convaincu. D'ailleurs vous en recevez confirmation tous les jours. Ce que vous oubliez, c'est que ces preuves, vous les construisez. Vos croyances sont des déductions opérées dans votre enfance sur le mode : « On ne s'intéresse pas à moi, c'est donc que je ne suis pas intéressant. » Il était probablement vrai que vos parents ne s'intéressaient pas suffisamment à vous, mais est-ce vraiment le cas de votre entourage aujourd'hui ? Oui, certainement, mais si hier vous n'y étiez pour rien, aujourd'hui, c'est vous qui installez ce manque d'intérêt des autres à votre égard. Vos croyances sur vous-même, sur les autres et sur le monde ne sont pas la « réalité ». En revanche, vos comportements créent la réalité, votre réalité quotidienne. Le fait que les autres ne vous posent pas de questions ou ne vous écoutent pas n'est pas la preuve que vous n'êtes pas intéressant. C'est une réaction naturelle face à votre attitude de retrait. Votre entourage perçoit les signaux que vous envoyez consciemment ou inconsciemment et y répond ! Il n'est pas toujours facile de remarquer ses propres attitudes.

Ce tableau vous permettra de mieux comprendre le circuit autorenforçant des croyances.

Ce que je me dis sur moi Mes croyances	Mes comportements Mes attitudes	Les réactions des autres Les expériences renforçantes
Je ne suis pas intéressant.	*Je me place en retrait.*	*Les autres ne me voient pas ou croient que je ne désire pas les voir ou leur parler.*
	Je ne regarde pas les autres dans les yeux.	
	J'attends qu'ils viennent vers moi.	*Ils ne viennent pas vers moi.*
	J'écoute plus que je ne parle.	*Je reste seul.*
	... **décidément**	...

Je commence par lister les réactions des autres à mon égard : fuite, agressivité, rareté des invitations... toutes ces attitudes que j'interprète le plus souvent comme des preuves de la véracité de mes croyances « décidément, je suis... ».

Puis je réfléchis avec honnêteté aux attitudes, aux pensées et aux émotions que je montre.

Vous pouvez demander aux personnes de votre entourage de vous dire sincèrement ce qui les dérange dans vos comportements, ce qu'elles aimeraient que vous changiez dans votre manière d'être avec elles... Expliquez-leur votre besoin, vos raisons de poser ces questions, car le plus souvent les gens cherchent à nous rassurer. Ils n'osent pas nous dire la vérité de peur de nous blesser, sans se rendre compte que leur silence nous fait bien plus mal puisqu'il nous enferme dans la certitude que nous ne sommes pas « aimables ». Il se peut aussi qu'ils n'en soient pas vraiment conscients. Si vous ne trouvez pas suffisamment de réponses à vos questions en interrogeant vos amis, joignez un groupe de thérapie ou un stage de développement personnel orienté sur les relations. Vous y obtiendrez cette confrontation dans une atmosphère de respect et de non-jugement.

Remplissez votre propre tableau :

Ce que je me dis sur moi Mes croyances	Mes comportements Mes attitudes	Les réactions des autres Les expériences renforçantes
	décidément	

Pendant quelques jours, décidez de modifier une de vos attitudes. Si j'avais la croyance « je suis intelligent(e), je suis un homme super, une femme super... », comment me comporterais-je ? Je l'imagine, je le vois dans ma tête, puis je me fixe un objectif précis pour la journée. J'ai du pouvoir sur mes comportements et mes attitudes. Je suis capable de m'approcher des autres, de leur poser des questions, de les regarder dans les yeux. Je le fais pour expérimenter ce qui se passe quand je pose des comportements très différents de ce que je fais d'habitude. J'observe les réactions des autres.

La confiance en soi se reconstruit assez vite quand on reçoit des réactions positives et encourageantes de la part de l'entourage.

Mais vous allez vite découvrir que vous tenez plus que prévu à vos croyances négatives. Il semblerait qu'elles soient profondément ancrées. Pour extirper complètement ces croyances, examinons leurs racines.

7. JE DÉCOUVRE L'ORIGINE
DE MES CROYANCES

Cet exercice peut se faire seul, à deux, voire à trois, les parents et l'enfant, et peut alors permettre à l'enfant de verbaliser son vécu face à certaines attitudes parentales et au parent de reconnaître et de rectifier des comportements passés qu'il regrette ou qui ont eu un impact qu'il n'imaginait pas.

Un peu d'introspection : d'où me viennent ces idées sur moi, les autres et la vie ? Que m'ont dit mes parents ? Qu'ai-je vécu qui puisse être à l'origine de telles croyances ?

Quand il me parlait de moi, mon père disait...

Il attendait que je...

Sinon, il...

Quand elle me parlait de moi, ma mère disait...

Elle attendait que je...

Sinon, elle...

Quels messages verbaux ou non verbaux ai-je reçus de mes parents ?

(Placez un curseur sur la ligne selon votre estimation)

Je t'aime .... *Je ne t'aime pas*

Tu es le bienvenu .... *Tu es de trop*

Tu appartiens à notre famille .... *Tu n'as pas ta place ici*

*J'ai tant de joie
à vivre avec toi* .... *Tu es la cause de tous mes malheurs*

Tu es capable .... *Tu es nul*

Tu peux y arriver .... *Tu n'arriveras jamais à rien*

Tu as le droit de rêver .... *Toujours tête en l'air*

Je respecte ton rythme .... *Tu es lent*

*Je te regarde
et je t'aime tel que tu es* .... *J'ai honte de toi*

Je suis heureux de vivre   *Qu'est-ce que j'ai fait
avec toi* .... *pour avoir un gosse pareil!*

Autres...

Si les curseurs tendent vers la droite, il est urgent de guérir les blessures occasionnées par ces messages conscients ou inconscients de mes parents.

Je vois comment les messages parentaux ont pu modeler ma confiance en moi et dans les autres. Je conserve les messages positifs, je me défais des négatifs.

Pour vous défaire de l'emprise des messages négatifs, décodez-les. Derrière un jugement, il y a toujours une émotion, un besoin. Un jugement parle de celui qui le pose, non de celui sur lequel il est posé. « Tu es insupportable » signifie en réalité : « Je n'y arrive plus, je suis démuni. » « Tu es un incapable » peut vouloir dire : « Je suis tellement insécure, j'ai peur que tu me dépasses, s'il te plaît, laisse-moi rester supérieur à toi. » « Tu n'es qu'une pute » signifie souvent : « J'ai si peur qu'il t'arrive la même chose qu'à moi. » « Je n'ai jamais osé avoir du désir envers un homme ou choisir un homme, je ne veux pas que tu me rappelles que je ne suis pas heureuse avec ton père (ou mon incapacité à me rebeller, à exprimer mes désirs). »

Ces jugements ne vous concernent pas. Ils sont des projections sur vous de leurs difficultés personnelles. Vous n'avez pas à les conserver.

Écrivez chacun des messages négatifs reçus sur de petits papiers. Vous aurez besoin d'un coussin, d'un cendrier (ou une cheminée) et d'un briquet (ou d'allumettes). Placez le cendrier en face de vous et le coussin derrière. Positionnez mentalement votre parent sur le coussin. Dites-lui votre colère, dites-lui qu'il n'avait pas le droit de vous dévaloriser ainsi, de projeter sur vous ses problèmes personnels. « Non, je ne suis pas... » Puis brûlez consciencieusement chaque message pour vous en libérer.

Repérez les messages verbaux, mais aussi les non verbaux, transmis par les gestes, les regards, les attitudes...

J'évoque les messages non verbaux, inconscients reçus de mes parents.

Me suis-je senti accueilli, aimé inconditionnellement ? Ou ai-je eu le sentiment que leur amour était conditionnel, suspendu à mes notes, à mon obéissance, à ma soumission à leurs désirs...

Ai-je reçu la tendresse et le contact physique dont j'avais besoin ?

Maman avait-elle confiance en ses compétences en termes de maternage ?

Si je dormais dans une chambre séparée de la leur, mes parents venaient-ils très vite quand je les appelais ?

Mes parents avaient-ils confiance en eux ? Ont-ils vécu des peurs, des angoisses (financières, professionnelles, liées à la santé...), des souffrances (deuils, accidents, maladies de proches...), pendant ma petite enfance qui pouvaient les empêcher d'être émotionnellement disponibles pour moi ?

De manière générale mes parents étaient... (rayez les mentions inutiles) :

plutôt timides – ouverts – extravertis.

Nos parents ne sont pas les seuls à nous influencer. Nos relations dans la fratrie et avec nos pairs à l'école jouent un rôle non négligeable. Souvenez-vous de la manière dont vos frères et sœurs vous traitaient, et de la façon dont vous-même les considériez. Voyez ce qu'ils vous ont (inconsciemment) enseigné par leurs attitudes, ce que vous avez appris sur vous et les relations humaines à leur contact.

Dans mes relation avec mes frères et sœurs, j'ai appris à...

De même, l'école nous enseigne bien autre chose que la lecture et l'écriture.

Par leur attitude à notre égard, les enseignants ont un certain pouvoir sur notre confiance en nous. Grâce à certains professeurs vous avez acquis une confiance inconnue jusque-là. D'autres vous ont dévalorisé :

Dans mes relations avec les professeurs j'ai appris...

Expériences positives :

Expériences douloureuses :

Nos pairs ne sont pas en reste, et les copains sont pour une grande part dans l'élaboration de notre confiance en nous. Avez-vous toujours été accepté tel que vous étiez ou avez-vous dû vous soumettre à une loi de groupe, à un leader, ou encore avez-vous été parfois carrément exclu ? Vous avez sans doute vécu beaucoup de circonstances différentes, mais les plus douloureuses marquent hélas plus que les heureuses. Considérez votre histoire.

Avec les copains, j'ai appris à...

8. JE CHANGE MES CROYANCES

Dire non aux messages négatifs des parents, sentir la colère à l'intérieur de soi et l'exprimer aide à se dégager de leur influence. C'est une étape nécessaire mais non suffisante. Reste à guérir l'enfant en vous.

Cet exercice est aussi utile pour les adolescents ainsi que pour les enfants qui ont subi un traumatisme, une hospitalisation, une humiliation à l'école. Comme ils sont encore petits et donc qu'ils n'ont pas la puissance nécessaire pour s'opposer à un adulte, invitez-les à visualiser qui ils désirent pour les aider dans leur passé : une personne en qui ils aient toute confiance et qui ait l'autorité nécessaire. Ce peut être maman, papa, un oncle, ou un personnage imaginaire : « Casimir », « Superman », ou « Spiderman » qui vient défendre et protéger l'enfant qu'ils sont encore.

Installez-vous confortablement pour cette méditation[1]. Vous pouvez l'enregistrer avec votre voix en la mettant à la première personne. Parlez lentement, tranquillement, tendrement. Laissez quelques minutes s'écouler entre chaque paragraphe.

---

1. Le CD enregistré de cette méditation est disponible auprès d'Isabelle Filliozat. Voir à la fin du livre, p. 220.

La guérison de l'enfant intérieur

Fermez les yeux, respirez.

Visualisez entre vos sourcils un point de lumière bleu.

Ce point de lumière va parcourir votre corps et détendre un à un chaque muscle. La lumière balaie le front, descend autour des yeux, le long du nez, détend la mâchoire, et même la langue.

Le point bleu descend dans le cou, l'épaule droite, le bras droit, jusque dans les doigts. Le point de lumière bleu remonte, traverse la poitrine, l'épaule gauche, le bras gauche, jusque dans les doigts. La lumière caresse le ventre, relâche le bassin, descend dans la jambe droite, jusque dans les orteils, remonte, passe dans la jambe gauche, jusque dans les orteils.

Le point de lumière bleu se pose sur le coccyx, relâche, détend. Il remonte la colonne vertébrale, vertèbre après vertèbre, les lombaires, les dorsales, les cervicales, parcourt le crâne, relâche les os, illumine tout le cerveau.

Et comme vous respirez calmement, profondément, une bulle de douce lumière bleue vous enveloppe.

Laissez votre corps se détendre et partez mentalement dans une forêt.

Un grand arbre se dresse devant vous, solide, il étend majestueusement ses branches dans le ciel. Approchez-vous. Entourez-le de vos bras, posez la joue contre l'écorce. Sentez son énergie.

Asseyez-vous maintenant le dos contre l'arbre, évoquez vos difficultés actuelles. Ressentez les émotions, les sensations suscitées par ces images.

L'enfant en vous est blessé.

Non loin de l'arbre, vous apercevez une grotte, profonde. Vous savez qu'elle mène à une scène de votre passé. Une scène douloureuse de votre enfance.

Vous, adulte, allez intervenir dans votre passé, pour aider, soutenir cet enfant que vous étiez.

Tandis que vous continuez de méditer sous l'arbre, une image de vous se lève et se dirige vers la grotte. Descendez les marches qui se présentent devant vous.

Vous arrivez devant une porte. Derrière cette porte se déroule une scène de votre enfance. Vous savez que vous allez la regarder de l'extérieur, comme au cinéma. Ouvrez la porte.

Regardez l'enfant que vous étiez. Regardez son visage. Observez ce qui se passe autour de lui.

Intervenez dans ce qu'il est en train de vivre. Soyez le témoin, le défenseur qu'il n'a jamais eu. Regardez vos parents, regardez celui ou celle qui est en train de blesser l'enfant et dites-lui, dites-leur ce que vous n'avez jamais osé dire. Dites-leur qu'il est injuste de traiter un enfant de cette façon, dites-leur que leur comportement est intolérable.

Rien, jamais, ne justifie que l'on blesse un enfant, qu'on le ridiculise ou qu'on le manipule.

Laissez s'évanouir les images de vos parents et tournez-vous vers l'enfant que vous étiez.

Vous allez lui donner votre amour, il en a vraiment besoin.

Il se peut que cet enfant que vous étiez soit tellement peu habitué à l'amour qu'il se méfie au début... Donnez-lui le temps, faites comme avec un petit enfant que vous ne connaîtriez pas. Approchez-vous avec délicatesse. Laissez-lui le temps de s'habituer à vous, de sentir le lien de confiance.

Selon son âge, prenez-le par les épaules, sur les genoux ou dans les bras. Caressez-lui doucement la tête, vous l'aimez et le lui montrez. Il a besoin de cet amour donné sans condition.

Écoutez ce qu'il a à vous dire, ce qu'il a sur le cœur, écoutez ses émotions. Laissez-le pleurer ou crier dans vos bras... Il est très important qu'il vous parle, qu'il s'exprime.

Vous êtes son futur, vous le connaissez mieux que personne.

Parlez-lui maintenant, dites-lui ce qu'il a besoin d'entendre, expliquez-lui ce qu'il ne peut comprendre encore, apprenez-lui ce qu'il ne sait pas encore. Souvent des larmes coulent, ce sont des larmes de soulagement, acceptez-les. Votre amour a touché l'enfant en vous.

Sentez ce qui se passe en lui, ce qui se passe en vous, lorsque vous, enfant, recevez cette tendresse.

Aidez maintenant l'enfant que vous étiez à reprendre confiance en lui, apprenez-lui à être lui-même et à s'affirmer.

Accompagnez-le dans les situations difficiles de sa vie.

Apprenez-lui à se faire respecter, à jouer avec les autres, apprenez-lui tout ce qu'il a besoin d'apprendre.

Voyez quel enfant vous auriez été si vous aviez été accompagné, aidé de cette façon. Si vous aviez reçu à ce moment-là l'amour et l'attention que vous méritiez.

Il est temps maintenant de dire au revoir à l'enfant, dites-lui que vous reviendrez et surtout qu'il peut vous appeler chaque fois qu'il en a besoin.

Comme vous remontez le temps progressivement jusqu'à aujourd'hui, voyez comment vous auriez grandi, comment vous auriez vécu d'autres étapes de votre vie.

Visualisez l'adolescent que vous auriez été, voyez-vous à vingt ans, à vingt-cinq ans, à trente-cinq ans... Voyez celui que vous auriez été aujourd'hui, celui que vous auriez pu être. C'est celui que vous êtes en réalité, celui que vous auriez été si vous aviez été respecté et accompagné correctement, comme vous le méritiez.

Comme vous êtes conscient de cela, conscient de votre réalité, laissez naître un profond sentiment de confiance et de gratitude. Confiance et gratitude. Sentez la vie en vous.

Et, tout en restant en contact avec ces sensations, revenez auprès de votre arbre. Regardez autour de vous, sentez les odeurs, écoutez les bruits de la nature,

Et revenez dans votre bulle bleue. Respirez plus profondément. Prenez conscience de ce que vous verrez lorsque vous ouvrirez les yeux. Bougez les orteils et les doigts, les pieds et les mains. Reprenez contact progressivement avec tout votre corps, respirez, bâillez, étirez-vous... Ouvrez les yeux.

Refaites cette méditation de temps en temps et à chaque fois que vous avez une réaction émotionnelle disproportionnée ou que votre confiance s'effrite. L'enfant en vous mérite que vous preniez soin de lui.

9. JE CESSE DE ME DÉVALORISER

« Tu es incapable, tu es nul... »

Je repère les mots que je me dis, ces petites phrases dévalorisantes qui sapent mes efforts et remettent en cause mes choix. C'est comme un disque. Je reprends le contrôle de ce disque. J'augmente le son... le baisse. Plusieurs fois de suite. Je monte les aigus, puis tourne le bouton vers les graves. J'accélère la vitesse, je le passe en 78 tours, le ralentis, je varie les vitesses...

Après avoir joué, je constate que j'ai le pouvoir sur ce disque. Je l'arrête simplement. Je le jette. Je visualise que je le brise et le mets à la poubelle, il part, en morceaux, sur une décharge... J'en suis débarrassé.

10. JE RESTAURE MA SÉCURITÉ INTÉRIEURE

Plusieurs fois dans la journée, je pense à mon bassin. Je respire profondément jusqu'au bas de ma colonne vertébrale. Je m'installe à l'intérieur de moi dans la zone qui va du sacrum au coccyx.

Assis ou debout, je respire profondément. À chaque inspiration, mon bassin s'ouvre, je lâche mes tensions. J'imagine l'air que j'inspire qui gonfle un ballon dans mon bas-ventre. Le ballon se gonfle de tous les côtés, vers l'avant, mais aussi l'arrière, le haut, le bas, à droite et à gauche. À chaque expiration, mes tensions s'en vont.

Je fais quelques pas de marche consciente. Quand je marche, je reste centré sur mon bassin, en pesant sur le sol. Je peux aussi prolonger mon souffle jusque dans mes pieds, jusque dans le sol, jusque dans la terre. À chaque fois que je pose le pied sur la terre, je m'enracine, je visualise l'air qui me traverse et pénètre dans la terre. J'expire sans effort.

La sécurité de base se construit dans le contact. Je multiplie les contacts physiques. Chaque fois que je suis touché ou que je touche quelqu'un, je prolonge ma conscience jusque dans le corps de l'autre. Je respire dans ce contact, comme pour me remplir de son énergie, de sa présence.

11. COURT EXERCICE DE SÉCURITÉ À REFAIRE SELON VOS BESOINS

Prenez quelques minutes pour vous. Asseyez-vous tranquillement et respirez. Prenez le temps d'établir le calme en vous concentrant sur votre respiration.

J'inspire, j'expire. Je lâche mes tensions dans ma respiration. Puis je fais cette visualisation : mentalement, je prends le bébé ou l'enfant que j'étais dans les bras. Je lui donne la tendresse dont il a besoin. Je l'écoute, je lui parle. Je lui explique les raisons pour lesquelles il ne se sent pas bien. Je lui dis qu'il n'y est pour rien. Il avait le droit de recevoir de la tendresse et du respect comme tout enfant sur terre. Ce n'est pas sa faute. J'accueille le bébé que j'étais comme il aurait dû l'être, avec tendresse, amour, respect. Je lui murmure ces messages importants :

« Je t'aime. »

« Tu existes pour moi, tu es important(e) pour moi. »

« Tu es le (la) bienvenu(e). »

12. JE M'ACCEPTE TEL QUE JE SUIS

S'accepter comme on est ne signifie pas rester avec des comportements toxiques ou dérangeants.

Annoncer « Je suis colérique, je m'accepte comme je suis » n'est pas tolérable et ne vous rendra pas heureux. Pas plus que « je suis fumeur, je ronfle, j'ai une écriture illisible, je suis nerveux, je parle trop vite, je suis lent, je suis violent, je suis timide... ». Tous ces attributs sont des symptômes. S'accepter comme on est ne signifie pas être complice de ses symptômes. C'est, comme le dit la célèbre phrase : « Accepter ce qui ne peut être changé, modifier ce qui peut l'être et avoir la sagesse de distinguer l'un de l'autre. »

Nombre de nos attitudes ou problèmes dérangeants pour nous ou pour les autres ne sont que des symptômes de répression émotionnelle. Il ne s'agit pas de chercher à être parfait, mais il est utile, derrière les reproches de ceux qui vivent avec nous, d'entendre une occasion de nous rencontrer plus en profondeur plutôt que de leur rétorquer qu'ils doivent nous « accepter comme nous sommes ».

Faire la différence entre ce sur quoi nous avons du pouvoir et ce sur quoi nous n'en avons pas n'est pas si simple. Nombre de gens croient ne pas avoir de pouvoir sur leurs émotions, leurs humeurs, sur leurs comportements excessifs, ou sur des symptômes physiques tels que maux de tête, problèmes dermatologiques, de ronflement, d'insomnie ou de constipation, pour n'en citer que quelques-uns. Nombre de ces symptômes de répression émotionnelle ne sont pas reconnus comme tels. L'aide d'un psy est alors utile. Si un symptôme se maintient malgré vos efforts, c'est qu'une blessure en vous n'est pas encore guérie [1].

Pour accepter ce qui ne peut être changé, c'est-à-dire ce sur quoi vous n'avez pas de pouvoir, regardez-vous avec les yeux d'un sage.

Mentalement, lors d'une relaxation, je visualise un ou une sage, peut-être une image de moi à quatre-vingts ans, un être qui me connaît mieux que personne, un être qui m'aime inconditionnellement. Il pose sur moi un regard tendre, aimant, respecteux. Je plonge mes yeux dans ce regard. Je respire sa tendresse. Je m'emplis de cet amour. J'apprends avec lui (elle) à m'aimer inconditionnellement.

Par la suite, au quotidien, je cesse les comparaisons qui me désavantagent. Dès que je me surprends à me comparer, je respire et me nourris du regard de ce sage sur moi. « Je m'aime. »

---

1. Ce qui ne signifie pas que tout est psy ! Il est bien entendu utile de consulter aussi les médecins compétents. La nutrition notamment joue un rôle non négligeable dans nombre de nos affections.

13. JE DOMINE MES PEURS

Souvent, au cours de mes journées, je fais un câlin à l'enfant à l'intérieur de moi. Mon passé va ainsi continuer à se guérir.

Travaillons maintenant sur le présent. Quelle peur spécifique aimeriez-vous dominer ?

J'ai l'impression de manquer de confiance en moi quand... (situation)

Qu'est-ce que cette situation me rappelle ? Ai-je déjà vécu quelque chose de similaire dans un passé plus ou moins lointain. Je cherche jusque dans mon enfance.

De quoi ai-je vraiment peur (hier et aujourd'hui) ?

Y avait-il dans ce passé un réel danger ? Ma peur était-elle justifiée ? Si elle est restée inscrite en moi, c'est qu'elle n'a pas été entendue à l'époque.

Pour guérir, je peux faire l'exercice « Rencontre avec l'enfant intérieur ».

Mais peut-être le problème n'est-il pas là... Une peur excessive cherche souvent à masquer une colère ! Identifiez dans cette situation du passé la colère que vous n'avez pas pu dire, peut-être même pas ressentie parce qu'elle a été éclipsée ce jour-là par la peur, par la douleur ou par la tristesse. Découvrez l'injustice, la frustration, la blessure qui vous a été faite. Osez éprouver votre saine colère. Votre peur disparaîtra comme par enchantement.

Quelle pourrait être ma colère? Quelle colère n'ai-je pas pu formuler dans la première occurrence de cette situation, probablement dans mon enfance?

Voyez comment votre manque de confiance découle de la répression de cette colère. Osez sentir cette colère, voire cette rage, aujourd'hui.

Je l'écris, je la dessine, je la sors de moi en la mettant sur papier. Je déchire de vieux Bottin en m'adressant à mon agresseur comme s'il était là.

Si vous ne parvenez pas à vous libérer de votre peur, n'hésitez pas à prendre rendez-vous chez un psy. Leurs outils ont beaucoup progressé. Une phobie est guérie en une à deux séances. Choisissez l'EMDR, la kinésiologie, la PNL ou le travail émotionnel type Reich, primal ou radix.

14. UNE SÉCURITÉ POUR OSER DAVANTAGE

Je n'ose pas appeler quelqu'un, faire une réclamation à un vendeur, une démarche administrative, déclarer ma flamme... C'est l'enfant en moi qui a peur. Je vais l'aider ! Moi, l'adulte, je prends mentalement l'enfant que j'étais par la main. Je l'imagine à mes côtés, je le rassure. Je suis là, je vais l'accompagner... Je sens comme sa peur diminue quand il a sa main dans la mienne, je lui transmets ma chaleur, mon amour, je lui assure ma protection, je vais le guider, lui apprendre. Pendant cette démarche difficile que j'ai à accomplir, je conserve cette image de l'enfant à mes côtés, je lui tiens résolument la main.

Après, je nous congratule tous les deux et je dis à l'enfant qu'il peut m'« appeler » chaque fois qu'il en éprouve le besoin.

Cet exercice fonctionne de façon inversée pour un enfant. Il peut imaginer un adulte en qui il a confiance à ses côtés, ce peut aussi être un personnage imaginaire, tout être qui lui donne confiance et lui ôte sa peur.

15. J'EXPRIME MES COLÈRES

Toute répression de colère creuse le manque de confiance. Quelle(s) colère(s) je réprime ? Colères d'aujourd'hui envers un ami, un collègue, un supérieur, mon conjoint... ? Ou colères plus anciennes, celles que je n'ai peut-être jamais osé éprouver... ?

Je suis en colère contre...

Attention, montrer sa colère ne signifie pas exploser et devenir violent. Bien au contraire. La colère saine est une expression juste de notre ressenti et une demande de réparation[1].

Quand tu...

Je ressens...

Parce que j'aurais eu besoin de...

Et je te demande de...

De manière que...

---

1. Pour en savoir davantage sur l'expression juste de la colère, voir mes livres parus aux éditions Jean-Claude Lattès : *L'Intelligence du cœur* (1997 ; Marabout, 1998), *Que se passe-t-il en moi ?* (2001 ; Marabout, 2002) et *Je t'en veux, je t'aime* (2004 ; Marabout, 2005).

16. JE FAIS FACE À L'INCERTITUDE DE LA VIE

L'incertitude engendre naturellement une certaine dose de crainte. Comment gérez-vous cette crainte ?

Face à l'incertitude, j'ai tendance à...

Mes mécanismes favoris pour contrôler l'incertitude sont...

Voici cinq techniques pour faire face à l'incertitude de l'existence sans altérer votre confiance en vous. Il y en a d'autres. Expérimentez et choisissez celle qui vous paraîtra la plus efficace pour vous et la plus appropriée à la situation. Utilisez-les dès que possible ou dès que vous vous surprenez dans un de vos mécanismes de contrôle.

La respiration profonde

Je respire jusque dans mon sacrum, je perçois le contact de mes pieds sur le sol. Instantanément les battements de mon cœur ralentissent. Respirer replace en soi, dans le présent, ici et maintenant. Plus je suis conscient de ma respiration, plus je suis maître de ma vie. Pour m'aider je peux penser par exemple : « J'inspire, je m'emplis de confiance. J'expire mes tensions. »

La dissociation spatiale

Je me projette mentalement au plafond et je me regarde en bas. Je me vois, moi et toute la situation depuis le haut de la pièce. Je peux aussi aller encore plus loin, jusqu'au toit, voire jusqu'aux étoiles... Cette technique permet de relativiser et de voir les choses sous un angle plus large, d'intégrer peut-être des dimensions qui éclairent la situation autrement. Souvent une situation incompréhensible de près prend tout son sens quand on la perçoit dans son contexte.

La double dissociation dans le temps

Je me projette mentalement dans l'avenir à une date où mon problème d'aujourd'hui sera loin (dans un an, dans dix ans, dans cinquante ans...). Je vois la personne que je serai. Je deviens cette personne. Je respire. Je me pénètre de cet état intérieur. Je me retourne ensuite sur mon passé et vois ma situation d'aujourd'hui. Je me regarde depuis le futur face à cette situation. Je manifeste à la personne d'aujourd'hui toute la tendresse et l'amour que j'ai pour elle. Je lui donne éventuellement des informations qui sont à ma disposition et qu'elle ne possède pas encore, je l'encourage et je la soutiens.

Je reviens dans mon moi d'aujourd'hui. Je regarde l'image de celui ou celle que je serai dans le futur. Cette image est plus ou moins grande sur mon écran mental, je la positionne en haut et à droite, de manière à pouvoir l'évoquer facilement dans toute situation. Je plonge dans son regard. Mon futur me connaît mieux que personne. Il m'aime inconditionnellement. J'écoute ce qu'il/elle a à me dire. Surtout je me nourris de sa présence. Je pourrai le faire apparaître dans un coin de l'espace chaque fois que j'aurai besoin de lui, chaque fois que je douterai ou aurai besoin de son soutien.

Dissociation entre l'adulte d'aujourd'hui et l'enfant en soi (voir exercice 13)

Mentalement, je prends par la main l'enfant en moi qui a peur. Je sens sa présence à mes côtés dans la situation difficile. Il a peur. Par la chaleur de ma main, je lui transmets mon amour, ma confiance. Je le guide. Je lui parle intérieurement pour lui expliquer ce qui se passe et le soutenir. On n'a plus peur de rien quand papa nous tient la main. Aujourd'hui, c'est moi, l'adulte, qui suis le papa sécurisant de cet enfant en moi.

Les objectifs

En me fixant des objectifs spécifiques, je réduis la part d'incertitude. Par exemple, inquiet à l'idée de cette soirée dans laquelle je ne connais personne, je décide de parler à au moins trois personnes ou de m'asseoir à côté d'un homme (d'une femme), ou encore de parler de telle ou telle chose, de changer de groupe deux fois. Un seul objectif, atteignable, cohérent et qui dépende de moi, est suffisant. Ce sera un guide pendant la soirée ou la situation qui me pose problème. Je n'oublie pas de me féliciter quand j'atteins mon objectif, même si cela n'a pas été aussi difficile que je l'imaginais !

Continuez à chercher d'autres techniques. Il en est de multiples pour satisfaire tous les besoins. La méditation, par exemple, est très efficace, son apprentissage dépasse le cadre de ce livre. Certaines techniques font intervenir d'autres personnes, personnages ou puissances extérieures, elles sont une étape. Cette dépendance au secours d'autrui est souvent nécessaire quand on manque gravement de confiance en ses capacités. Mais chaque fois que vous sortez d'une situation aidé par autrui plutôt que par vos propres moyens, vous renforcez la croyance en votre petitesse, en votre impuissance personnelle, même s'il ne s'agit que d'une visualisation. Utilisez ces outils pour renforcer votre sécurité intérieure, puis intériorisez ces forces, développez vos propres ressources pour faire face à l'adversité.

17. J'IDENTIFIE MES TRAUMATISMES

Nous avons vu que le manque de confiance en soi était une réaction naturelle face à la souffrance. Pouvez-vous identifier un traumatisme ? Un événement dans votre vie ou au sein de votre famille qui a signé un « avant » et un « après » ?

Nous ne sommes pas toujours conscient de l'importance de certains faits. Si vous n'avez pas la mémoire du moment auquel vous êtes devenu moins confiant, regardez des photos de vous. Observez votre visage, votre attitude. Détectez le moment auquel vous avez changé et interrogez vos parents sur cette année-là.

Les situations douloureuses peuvent aussi être répétées, tellement intégrées à votre quotidien que vous ne les regardez plus comme telles. Elles n'en sont pas moins pernicieuses, effectuant leur travail de sape à votre insu.

Un événement ne devient traumatisme que lorsque les émotions ne peuvent être exprimées et entendues. Pour guérir, une fois le souvenir revenu, il suffit de permettre à ces émotions – terreur, rage, fureur, douleur – de sortir.

Enfant, j'ai souffert de...

J'ai ressenti...

J'écris à mon agresseur. Dans un premier temps, j'écris une lettre (voire plusieurs) que je n'enverrai pas, juste pour expulser ces intenses émotions et clarifier ce que j'éprouve.

Au fur et à mesure de vos écrits, vous verrez vos sentiments évoluer, vos émotions se clarifier. Veillez à ne pas vous faire piéger par un sentiment de culpabilité lorsque vous éprouvez de l'agressivité, voire de la haine : ce sont des passages naturels. Acceptez ce que vous ressentez, posez-le sur le papier, n'hésitez pas à gribouiller votre feuille avec rage.

Une fois le trop-plein sorti et mes émotions clarifiées, j'écris à mon « agresseur » la lettre que je lui enverrai. Une lettre sans jugement, juste pour dire ce que j'ai éprouvé et demander réparation.

Si le traumatisme est important, choisissez de vous faire accompagner par un psychothérapeute. Les techniques qui me paraissent ici les plus appropriées sont les techniques psychocorporelles, émotionnelles (thérapies reichiennes, cri primal, radix...) ou l'EMDR.

18. JE RÉAGIS À L'EXCLUSION

Avez-vous subi une situation de rejet ? Avez-vous été mis à l'écart récemment ou plus loin dans votre histoire ?

Si ce rejet a eu lieu dans votre enfance, vous pouvez utiliser la visualisation de la guérison de l'enfant intérieur.

Si le rejet est plus récent, analysez les vraies causes de celui-ci. Vous avez probablement tendance à vous en attribuer la responsabilité, comme le font nombre de gens dans cette situation, ainsi que les psychologues expérimentaux l'ont montré. Ce n'est pas forcément le cas. Les personnes dites « internes » ont tendance à considérer systématiquement tout ce qui leur arrive comme étant de leur responsabilité. C'est une attitude qui peut paraître saine et responsable, c'est aussi celle qui détruit le plus facilement votre confiance en vous. Les « externes » choisissent de penser que les causes leur sont extérieures. Bien sûr, la vraie sagesse n'est ni d'un côté ni de l'autre, mais dans une prise en compte équilibrée et juste entre les deux dimensions, interne et externe. Considérez donc les causes externes ayant mené à votre rejet. Voyez votre part de responsabilité et celle des autres.

L'analyse effectuée, revenez à l'exercice « Guérir les blessures ».

Vous pouvez aussi positionner mentalement la ou les personnes qui vous ont exclu, leur dire « en face » ce que vous pensez de leur comportement, puis leur crier que vous ne leur laisserez plus le loisir de vous humilier.

Ayant été exclu, vous avez probablement tendance à faire seul... C'est une indication supplémentaire pour prendre contact avec un psy. Approches systémiques, psychodrame et autres techniques de mise en situation, Gestalt, Analyse Transactionnelle, approches cognitives sont, à mon avis, les voies les plus pertinentes face à cette blessure spécifique de l'exclusion.

19. JE GUÉRIS DES SUITES DE HARCÈLEMENT

Avez-vous été victime de harcèlement moral ? Avez-vous été dévalorisé, jugé, taquiné à répétition ? Avez-vous subi diverses formes de brimades ?

- dans votre vie professionnelle ?

- au sein de votre famille ?

- au cours de votre scolarité ?

- lors de séjours de vacances ?

- dans un club de sport ou de loisirs, une association ?

- dans une autre situation ?

Avez-vous été victime de harcèlement physique ?

- à l'école par un enseignant ?

- à l'école par un ou plusieurs autres élèves ?

- au sein de votre famille ?

- autre ?

Souvenez-vous que rien, jamais, ne justifie une brimade, une dévalorisation, ou un comportement de harcèlement. Externalisez les causes de ce que vous avez vécu. Gardez-vous d'en prendre excessivement la responsabilité sur vos épaules, même si (et justement parce que) c'est justement ce que votre agresseur cherchait. Parlez avec d'autres, racontez ce qui se passe. Faire intervenir un tiers est nécessaire dans les cas de harcèlement. Ne serait-ce que pour qu'il vous aide à regarder la situation avec davantage d'objectivité, tant le harcèlement a tendance à conduire à une dévalorisation de soi.

Écrivez une lettre à votre agresseur en y mettant toute votre colère. Dans cette première lettre que vous n'enverrez pas, vous pouvez inscrire votre rage, votre douleur, votre frustration, votre impuissance... Puis déchirez-la en petits morceaux et brûlez-la. Vous pouvez ensuite écrire une nouvelle lettre, que vous enverrez. Parce qu'il est important de dénoncer les abus et de ne pas rester avec une peur du persécuteur.

20. JE SORS DE LA DÉPENDANCE

L'enfant est naturellement dépendant de ses parents et cette dépendance-là est juste. Elle peut toutefois être excessive, l'enfant ne manifestant que peu d'autonomie. Il est alors utile d'inviter l'enfant à dire sa colère, à mettre des mots sur ses manques, sur ce qui lui fait mal. Il arrive aussi qu'un jeune établisse une relation de dépendance avec un copain de classe, un voisin, un cousin... Il est important alors de l'aider à sortir de cette dépendance.

La dépendance maintient le manque de confiance en soi. De quoi ou de qui êtes-vous dépendant?

Je suis dépendant de...

Voyez comment cette dépendance vous maintient dans une piètre idée de vous-même.

Pour m'en libérer j'aurais besoin de...

Pour cela, voici ce que je vais mettre en place...

S'agirait-il d'une dépendance inconsciente? Dans quelle(s) situation(s) perdez-vous confiance en vous? Si vous êtes une femme, serait-ce parce qu'un homme est présent? Si vous êtes un homme, est-ce parce qu'un homme que vous estimez supérieur à vous vous regarde? Auriez-vous tendance, comme la grande majorité des humains, à sacrifier inconsciemment à l'ordre hiérarchique institué? Ce biais existe, il est réel, il a été mesuré. Nos performances diminuent face à un adversaire habillé en rouge, plus beau ou plus séduisant que nous, un adversaire que nous admirons et à qui nous prêtons plus de pouvoir qu'à nous-même.

Il est très difficile de lutter contre ces tendances tant qu'elles restent inconscientes.

Si notre inconscient nous joue des tours, il tente aussi parfois de nous informer.

L'autre (votre conjoint, un parent, un collègue...) porte un secret, ne dit rien, ou vous ment. Une partie de vous le sent. Mais vous préférez conserver à cet autre votre confiance, probablement parce que vous êtes dépendant de lui d'une manière ou d'une autre, ne serait-ce qu'affectivement.

Si vous vous faisiez confiance, que penseriez-vous? Écoutez les petites voix qui murmurent en vous, dans vos rêves, dans vos associations de pensées... Elles portent peut-être plus de vérité que vous ne le voudriez.

Vérifiez enfin l'ensemble de vos relations en termes de réciprocité. Vous avez lu combien le défaut de réciprocité peut induire un manque de confiance en soi.

Avec qui est-ce que je connais ce défaut de réciprocité?

Dans cette relation je ressens...

Sur moi, je me dis...

Sur l'autre, je me dis...

L'analyse de la situation, de vos motivations et/ou de celles de votre interlocuteur à donner excessivement ou insuffisamment vous aidera à comprendre les enjeux.

Comment vais-je faire évoluer la situation ?

21. JE CHANGE DE « CHAUSSURES »

Quand un enfant perd confiance en lui, les parents peuvent se poser et lui poser les questions qui suivent.

Trop jeune et dépendant, l'enfant ne peut décider de « changer de chaussures » seul. Lui assurer un environnement sécurisant et favorisant son épanouissement fait partie de notre rôle de parent : cela passe parfois par un changement de classe, d'école, de club de tennis... Si les enfants peuvent « s'adapter » un temps, ils en payent le prix. Le coût n'est pas toujours évident pour les parents, mais il apparaîtra tôt ou tard, soit dans les résultats scolaires, soit dans l'assurance personnelle. Nos propres craintes, le manque de temps, le désir d'éviter les conflits ou de remettre en cause nos choix nous incitent souvent à minimiser ce que subit l'enfant. Il est alors maintenu dans un univers de contraintes qui détruit sa confiance en lui, le temps d'une année scolaire, parfois plus, avant que les cartes soient redistribuées. Quand les parents ne protègent pas leur enfant, ne le sortent pas d'un milieu qui le blesse, l'enfant perd doublement confiance en lui : par la blessure, par l'humiliation, mais aussi par le manque de respect de ses besoins par ses parents. « Je ne suis pas digne qu'on s'occupe de me protéger », voire, « c'est moi qui suis mauvais ».

Dans cet exercice, les questions « Qu'est ce qui me retient ? » et « Qu'est ce que je crains ? » s'adressent bien sûr aux parents.

Avez-vous l'impression de vivre beaucoup de contraintes dans votre vie ?

Si oui, il est temps de « changer de chaussures ». Inutile de consommer force calmants, antidépresseurs, vitamines, somnifères et autres laxatifs... Il y a probablement quelque chose à modifier dans votre vie ou dans votre manière de vivre.

Mon environnement affectif, amical, sportif, professionnel... m'aide-t-il à m'épanouir ? Ou ai-je des « chaussures trop petites » en ce moment ?

Faites un bilan honnête de ce que vous vivez en termes de sécurité, de valorisation et de liberté.

Je me sens...	*sécure*	*valorisé*	*libre*
Dans ma famille			
Dans ma profession			
Parmi mes amis			

Qu'est-ce que je peux faire pour améliorer la situation ?

Quels changements puis-je envisager ?

Qu'est-ce qui me retient de changer ?

Qu'est-ce que je crains ?

Et pour commencer je vais...

22. JE ME LIBÈRE DE L'HUMILIATION SOCIALE

Moi ou mes parents, sommes-nous membres d'un groupe minoritaire ou dévalorisé (paysans, immigrés, pauvres...)?

D'une part, ni vous ni vos parents n'ont fait exprès de naître dans ces conditions socialement jugées inférieures. D'autre part, il est injuste de stigmatiser ainsi une partie de la population. Tous les hommes sont égaux en droits. La soumission, la honte et la perte de confiance en soi sont complices de l'injustice, elles permettent à celle-ci de perdurer! Vous avez le droit d'être en colère contre cette société qui juge, humilie, rejette certaines catégories sociales.

Il est aussi important d'expliquer cette dimension de l'humiliation sociale à nos enfants. D'autant plus qu'ils peuvent la rencontrer directement à l'école. Un enfant de sixième, le jour de la rentrée dans un collège des Bouches-du-Rhône, a ainsi été écarté: « Toi, t'es pauvre, on joue pas avec toi! »

Avez-vous subi une humiliation ou une dévalorisation sociale? Avez-vous été déchu d'un poste, d'une fonction? Avez-vous changé volontairement ou non de position professionnelle ou sociale? Ou avez-vous récemment modifé votre réseau relationnel (déménagement, mariage...)?

Voyez-vous un événement susceptible d'être à l'origine de votre sentiment de dévalorisation sociale?

Deux dimensions sont signifiantes, la quantité et la qualité de nos liens et la fonction que nous avons parmi les autres. Qu'est-ce qui me manque le plus : la reconnaissance, les marques d'attention des autres ou le fait d'apporter ma pierre à l'édifice social, de me sentir utile ? un mélange des deux ?

Soyez attentif à replacer les causes de l'événement dans leurs justes proportions.

Une période de chômage, par exemple, ne signifie pas forcément que vous êtes incompétent. Veillez à externaliser les causes.

Cette dévalorisation sociale ou cette modification de mon statut était-elle juste et choisie ? Si oui, je m'en souviens ! Ce n'est pas la preuve d'une quelconque incompétence !

Sinon, et surtout si je n'avais pas de contrôle de la situation, je sens ma frustration et la colère suscitée par l'injustice. On pense trop souvent que cela ne sert à rien, puisqu'on ne peut rien y changer. Mais le simple fait d'éprouver de la colère évite de se sentir coupable, et donc de perdre confiance en soi.

En manifestant ma colère, je souligne mes droits. Je redeviens un dominant.

23. JE COMPARE À BON ESCIENT

J'utilise l'effet de contraste pour restaurer ma confiance en moi et non pour la détruire. Dès que je me surprend à me comparer à quelqu'un de plus intelligent, de plus beau, de plus mince, de plus doué, de plus riche, de plus quelque chose, je tourne mon attention vers une autre personne qui est moins intelligente, moins belle, moins mince, moins douée, moins riche, moins quelque chose que moi.

Il ne s'agit pas de m'entourer de personnes que je jugerais « inférieures », mais de cesser de systématiquement regarder la bouteille comme à demi vide alors qu'elle est à demi pleine !

24. J'ACCOMPLIS MES DEUILS

Avez-vous perdu père, mère, frère, sœur, cousin?

Votre mère a-t-elle fait une fausse couche?

Vous-même, avez-vous avorté ou fait une fausse couche? Avez-vous perdu un enfant ou un être proche?

Face à moi, sur un coussin, je positionne mentalement l'être qui me manque. Je lui parle. Je lui dis mon désespoir, ma tristesse, mais aussi ma colère. Je lui dis ce que je n'ai jamais osé lui dire, ce que peut-être je n'ai même jamais osé penser. Je lui dis combien il me manque. Je lui dis tout ce que j'ai besoin de lui dire avant de lui dire finalement adieu.

25. JE PEUX ÉCHOUER SANS TOMBER

Entourez ce qui vous parle :

Pour moi, échouer c'est...   *la fin du monde*
la preuve de mon incompétence
une injustice
une occasion de grandir
une source d'information

Souvenez-vous d'un succès.

Qu'avez-vous ressenti ?

Que vous êtes-vous dit sur vous-même, sur les autres, sur la situation ?

Je me suis dit...

Souvenez-vous d'un échec.

Qu'avez-vous ressenti ?

Que vous êtes-vous dit sur vous-même, sur les autres, sur la situation ?

Je me suis dit...

Vérifiez que ce que vous vous dites construit votre confiance. Si ce n'est pas le cas, remplacez les dévalorisations et les jugements par des encouragements et des phrases de soutien inconditionnel.

Identifiez-vous un échec précis qui a causé votre perte de confiance ?

Je vois les différents éléments qui ont concouru à cet échec, ma part de responsabilité, mais aussi celle des autres. Je mesure l'impact de l'environnement.

En contact avec ma frustration et ma déception d'alors, je sens ma colère et ma tristesse. Je me donne aujourd'hui le soutien dont j'aurais eu besoin alors.

Je me souviens de trois échecs dans ma vie :

Sur le moment ils ont été douloureux à accepter, mais *a posteriori*, regrettez-vous le chemin que ces échecs vous ont fait prendre ?

Que m'a apporté chacun de ces échecs ?

Un échec ne vous a rien apporté ? À qui est-il imputable ? Était-ce vraiment un manque de capacités (j'aurais dû...), ou quelqu'un ou quelque chose d'autre était-il impliqué ?

Pour reconstruire la confiance en soi suite à un échec :

– Exprimez vos émotions de déception, de colère, voire de peur.

– Mettez en lumière les raisons de cet échec : « J'ai fait une faute de carre. » « Mon adversaire était gaucher, je n'y étais pas préparé... » Considérez votre responsabilité, celle de l'autre et celle de la situation.

26. JE SORS DE MES SÉCURITÉS, JE CHANGE MES HABITUDES

Les habitudes sont confortables, elles forment des repères dans nos vies et dans nos relations. Elles rassurent parce qu'elles donnent une illusion de stabilité, de permanence... Elles sont parfois utiles, elles nous évitent de nous poser sans cesse des questions. Mais trop systématiques, elles nous enferment, justement parce qu'elles nous évitent de nous poser des questions, notamment une des plus importantes : « De quoi ai-je envie aujourd'hui ? »

Vous avez l'habitude de prendre le métro ? Choisissez le bus, le vélo ou la marche. Vous prenez un café au petit déjeuner ? Faites l'expérience du chocolat chaud. Osez la tranche de jambon ou le pain aux raisins.

« Je suis quelqu'un qui prend un café le matin. » Non, vous êtes bien plus que cela et vous avez le droit de vous définir en dehors de votre café. Sinon, la dépendance au produit se double d'une dépendance psychologique pour définir votre identité. Dites *je* au quotidien.

Dites-vous chaque jour et devant diverses situations : « De quoi ai-je envie aujourd'hui ? »

27. ÇA ME FAIT OUI OU ÇA ME FAIT NON ?

En réalité, ce n'est pas avec notre mental conscient que nous choisissons le plus efficacement. Les grands décideurs disent volontiers avoir « senti » la bonne solution, la bonne direction. Ils écoutent souvent plus leur intuition que la simple raison. L'intuition n'est pas un don extrasensoriel. Nous recevons dans tout notre corps des myriades d'informations sensorielles dont nous n'avons pas conscience. L'intuition, c'est la mise en relation de ces informations.

Qui ne s'est jamais dit : « La décision A semble être la meilleure, rationnellement, c'est sûrement la bonne... mais je ne la sens pas. » Certains écoutent ce ressenti, font confiance à leur « intuition », d'autres non. Or, comme toute fonction, plus elle est utilisée, plus elle se développe. Plus on lui fait confiance, plus on l'écoute, plus elle se muscle !

Pour interroger ces modules, les Canadiens usent de cette terminologie efficace : « Ça me fait oui ou ça me fait non ? » On peut aussi l'utiliser en s'adressant à un enfant. Je me pose la question devant de multiples choix, depuis mon lever jusqu'au coucher, en m'habillant, en décidant de changer d'activité, en préparant la cuisine, en ouvrant un dossier ou en prenant le téléphone...

Vous avez eu un peu de mal ? Affinez vos sensations [1]. Explorez les sensations sous vos doigts. Attention à ne pas

1. Vous trouverez davantage d'exercices sur ce sujet dans mon livre *Trouver son propre chemin*, Presse Pocket, 1992.

définir les objets, soyez attentif aux sensations que vous procurent les objets « froid, chaud, soyeux, râpeux... » et non pas « c'est un stylo, un bureau en bois... ».

Pour choisir entre deux directions, entre deux vêtements, deux plats... je m'imagine dans le futur ayant choisi l'un ou l'autre, je vois les images, j'écoute, je sens les odeurs, je suis attentif à mes impressions physiques. Je reviens au présent. Puis je me projette dans l'autre possibilité. J'éprouve à nouveau avec tous mes sens... Si mon mental n'y va pas de ses conseils « avisés » et ne glisse pas trop d'interdits entre moi et mes sensations, il y a de grandes chances pour que le choix juste s'impose à moi.

Filmant et analysant les stratégies des personnes sachant prendre des décisions, des chercheurs ont mis ce fait en évidence : ces experts élaborent des représentations mentales visuelles, les comparent et choisissent la plus lumineuse. Imitons-les !

Affinez aussi vos valeurs. Qu'est-ce qui est important pour vous ?

Je fais une liste de mes critères pour tel ou tel objet, du pain au choix de mon métier, et je vérifie si mon quotidien satisfait mes critères.

28. JE RESPIRE !

Je m'arrête toutes les heures dans mes activités. Je respire, j'écoute ce qui se passe en moi et je réponds à cette question : « Comment je me sens ? »

Si la réponse est « heureux, efficace, joyeux... », ou un autre sentiment positif, le simple fait d'en prendre conscience le renforcera. Je respire dans ce sentiment, dans ces sensations.

Si la réponse est « tendu, nerveux, en colère... », je fais quelque chose pour améliorer mon état.

29. JE RESTAURE LA CONFIANCE
EN MES DÉSIRS ET BESOINS

Voyez comment on vous a interdit de vous opposer, comment vos parents vous ont fait croire qu'ils savaient mieux ce qui était bon pour vous.

Aviez-vous le droit de ne pas aimer un plat ou deviez-vous manger de force ce qu'on mettait dans votre assiette ?

Aviez-vous le droit de choisir les vêtements que vous aviez envie de porter ou vos parents choisissaient-ils vos habits tous les matins ?

Avez-vous eu l'autorisation de dire non ?

Si *oui* : passez à la page suivante.

Non ? J'apprends à dire non. Je m'entraîne dans des situations sans conséquence. J'entre dans une boulangerie, demande un croissant... et quand la vendeuse tend la main vers le croissant, je dis : « Non pas celui-là, je préfère l'autre dessous, plus cuit, ou moins cuit ! »

Un autre jour, j'ose carrément dire : « Non, finalement, je ne veux rien, merci », et je sors.

Objectif : dire NON dix fois dans la journée. Je m'entraîne. Ce n'est bien sûr pas un but en soi, mais il me faut retraverser la période d'opposition du petit enfant. Si je sens peu à peu monter de la colère en moi... Superbe !

Je commence à sentir un non en moi dans toutes sortes de situations que j'acceptais d'ordinaire. Je fais la vaisselle toute seule ? Est-ce juste ? Mon sens de la justice est aiguisé. Je sens la rébellion contre l'injustice monter en moi !

Attention, ne tombez pas à bras raccourcis sur vos proches. N'oubliez pas de faire des demandes avant de montrer de la colère aux autres. Votre seuil de tolérance jusque-là un peu trop élevé va revenir à un niveau plus sain. Après une phase de grande intolérance qui peut prendre une bonne semaine, voire un bon mois, vous affinerez votre seuil.

Pendant toute une journée, faites différentes choses que vos parents désapprouveraient, désobéissez consciemment aux ordres parentaux. Dès que vous entendez dans votre tête « il faut » ou « il ne faut pas », transgressez l'interdit ! (Tout en respectant les limites de la légalité, bien sûr !) Respectez donc les feux rouges, mais autorisez-vous à déguster le dessert avant l'entrée. Baissez la musique après 22 heures mais laissez la vaisselle deux jours dans l'évier. Certaines personnes sont rebelles à toutes les lois, elles refusent la ceinture de sécurité, se garent n'importe où, dépassent les limites de vitessse autorisées, voire brûlent les feux rouges... Si vous les interrogez vous découvrirez que loin d'avoir eu des parents laxistes, ils ont souvent été des enfants contraints. N'ayant jamais été entendus dans leur rébellion par leurs parents, ils la projettent sur les lois de la société ! C'est inapproprié et dangereux ! L'obéissance est une soumission, elle ne construit pas la confiance en soi. En revanche, le civisme, la responsabilité consciente renforcent la confiance en soi à chaque acte. Le même comportement, par exemple « je ralentis pour respecter les mesures antipollution », aura une incidence différente selon que vous vous soumettez à la loi par peur du gendarme ou que vous agissez selon vos valeurs. Dans le premier cas, vous avez une vision de vous « soumis », dans le second, vous êtes fier de vous.

30. JE ME DIFFÉRENCIE

La confiance en soi nécessite de se sentir être soi-même, donc de ne pas suivre le groupe, de ne pas faire « comme les autres ». Choisissez de vous différencier.

Les autres marchent vite ? Ralentissez. Tout le groupe prend le plat du jour ? Choisissez au menu. Tout le monde a aimé le film ? Critiquez-le – ou inversement.

Exercez-vous à tolérer la tension inévitablement induite par la différence. La capacité à vivre cette tension nous confère notre liberté.

Pour éviter cette tension, que les scientifiques nomment dissonance cognitive, nous penchons inconsciemment vers le conformisme social. Un conformisme qui peut nous faire voir une voiture bleue si dix personnes la disent bleue, alors même que nos yeux la verraient verte si nous avions la permission d'être différent.

Autre avantage de la différenciation, les autres vous voient mieux ! Vous recevrez davantage de marques d'attention et d'intérêt, ce qui ne pourra qu'augmenter encore votre confiance.

Trop peur du jugement ? Il est temps de vous affirmer face à vos parents, Retournez à l'exercice sur la guérison de l'enfant intérieur.

31. JE CHANGE D'AVIS

Avoir confiance en soi, c'est oser avancer dans le monde sans avoir besoin de s'accrocher à ses certitudes, être ouvert à ce qui est et oser remettre en cause certaines de ses idées. Pourtant, surtout en France, nous avons tendance à interpréter un changement d'avis comme une marque de faiblesse, voire de bêtise.

Si je changeais d'avis, j'aurais peur que les autres disent de moi...

En réalité, il vous est certainement arrivé de changer d'avis au cours de votre vie.

Au cours de mon existence, j'ai changé d'idée sur...

J'ai été influencé par...

Après avoir pris davantage d'informations, mes idées sur... ont évolué.

Vous avez su changer d'avis, évoluer ? À moins que vous ayez modifié vos opinions pour plaire à quelqu'un, changer d'avis est une manifestation d'intelligence.

Vous n'avez que très peu changé d'avis dans votre vie ? De manière générale, quand vous avez une opinion, vous la

maintenez? Vous croyez être sûr de vous? Interrogez-vous :
que craignez-vous?

Plus vous osez montrer que vous avez changé d'avis sur
un sujet ou un autre, plus vous serez apprécié et respecté.
Faites-en l'expérience. Attention : soyez pertinent, il ne s'agit
pas de jouer à la girouette et de tourner selon le sens du vent.

32. JE RESTAURE MA CONFIANCE
EN MES COMPÉTENCES

Vos parents vous laissaient-ils explorer par vous-même ou avaient-ils un peu trop tendance à vous aider, voire à tout faire à votre place?

Avez-vous été accompagné dans vos prises d'autonomie?

Vos parents vous ont-ils confié des tâches à votre mesure?

Avais-je la permission d'échouer?

Que disaient vos parents quand vous leur présentiez une de vos créations?

Étaient-ils *critiques?*

valorisants?

excessivement valorisants?

désintéressés?

Quel regard vos parents posaient-ils sur vous?

Receviez-vous des compliments? des encouragements?

Vos parents ont-ils valorisé une compétence en particulier?

De mes parents, j'ai reçu le message :

À l'école, malgré vos efforts, vous obteniez de piètres résultats ? Vous aviez des comportements que les autres ne comprenaient pas ? Vous étiez hyperactif, dyslexique, rêveur... et/ou peut-être précoce ?

Encore aujourd'hui, vous vous sentez moins intelligent que les autres ? Vous avez parfois l'impression que votre cerveau ne répond pas aussi vite que vous le voudriez ? Vous vous sentez différent ?

Ne restez pas avec cette impression négative sur vous-même. De nombreux spécialistes explorent ces dimensions de nos jours. Il est encore temps de comprendre, de mettre des mots sur ce que vous vivez.

Au vu de vos réponses, que comprenez-vous sur vos compétences ? et sur l'origine de votre manque de confiance ?

Je cite trois compétences que je peux me reconnaître...

Et trois compétences que j'aimerais acquérir...

33. J'ACQUIERS LES COMPÉTENCES
QUI ME MANQUENT

Plutôt que de vous lamenter sur ce que vous ne savez pas faire, apprenez! Vous voulez savoir animer une réunion, faire un soufflé au fromage, vous exprimer en public, négocier les prix, maîtriser Word, Excel, surfer sur internet, mener un entretien, lire plus rapidement, mémoriser plus efficement, vous affirmer face à vos enfants ou mieux les écouter? Il y a des stages pour tout cela.

Vous avez une image idéale de vous et vous voulez acquérir une compétence : je vous propose cette méditation [1].

Respirez profondément par la bouche deux ou trois fois, bâillez, fermez maintenant la bouche et respirez par le nez... Détendez-vous.

Visualisez un point de lumière qui va parcourir votre corps pour détendre un à un tous vos muscles.

Le point de lumière entre dans votre jambe droite, passe et repasse dans toute la jambe et relâche les muscles, les tendons, des orteils jusqu'à la hanche.

---

1. Cette relaxation-visualisation a été enregistrée par Isabelle Filliozat. Elle est disponible sur K7 ou CD. Voir références et adresses à la fin de cet ouvrage, p. 220.

La lumière détend le bassin, entre dans la jambe gauche, passe et repasse dans toute la jambe gauche depuis les orteils jusqu'à la hanche.

La lumière s'attarde sur le ventre, dans le ventre, dénoue tout ce qui pourrait être noué, monte et pénètre dans la poitrine, nettoie les poumons, caresse les côtes, relâche le cœur.

Vous respirez de plus en plus facilement, le point de lumière parcourt tous les muscles du dos.

Vous sentez votre dos s'enfoncer confortablement dans le sol.

Le point lumineux continue son chemin, entre dans l'épaule droite, descend dans le bras, jusqu'au bout des doigts, remonte, rejoint l'épaule gauche, descend dans le bras gauche jusqu'au bout des doigts.

Il remonte, détend les muscles du cou. Le point de lumière caresse le visage, le front, le nez, la joue droite, la joue gauche, les lèvres, le menton, et même la langue.

Vous respirez facilement, confortablement, vous êtes prêt pour vivre la suite de cet exercice.

Pensez à une qualité que vous souhaitez développer en vous, à une valeur que vous voulez incarner en ce moment dans votre vie.

Trouvez quelqu'un qui dans le monde possède cette qualité, incarne pour vous cette valeur, le plus parfaitement possible.

Visualisez cette personne correspondant à votre idéal, incarnant cette valeur que vous voulez développer en vous, maintenant.

Observez-la. Quelles capacités spécifiques a-t-elle ?

Regardez-la. Comment se comporte-t-elle dans diverses situations importantes ?

Et dans sa vie quotidienne ? Voyez-la se coucher et se réveiller le matin, faire son lit, prendre son petit déjeuner, faire la vaisselle, acheter son pain.

Revenez maintenant à une image dans laquelle cette personne manifeste la valeur que vous voulez incarner. Voyez-la dans une situation précise, démontrant ses compétences, et regardez la situation : voyez le lieu, les personnes présentes. Observez les postures de votre modèle, ses gestes.

Écoutez sa voix.

Maintenant, entrez dans sa tête, derrière ses yeux, et voyez par ses yeux tout ce qu'elle peut voir, regardez par ses yeux les formes autour, les couleurs, les lieux, la lumière et les gens.

Comme vous voyez ce que votre modèle voit, écoutez maintenant par ses oreilles, entendez les sons, les bruits, les voix qu'elle entend.

Entendez aussi de l'intérieur ce qu'elle se dit, entendez sa voix. Et comme vous voyez ce que votre modèle voit, que vous entendez ce qu'elle entend et ce qu'elle se dit, laissez-vous sentir ce qu'elle sent.

Laissez-vous pénétrer de ses sensations et de ses sentiments.

Sentez ce que vous ressentez quand vous êtes dans sa posture, quand vous faites les mouvements que cette personne fait.

Sentez les impressions que vous procurent ses gestes, ressentez en vous toutes les sensations et les sentiments qui l'animent.

Comme vous sentez ces sensations, intensifiez-les en vous et transposez-les dans votre futur. Imaginez-vous ressentant dans votre avenir toutes ces sensations, voyez-vous incarnant cette valeur dans votre vie.

Prenez conscience des comportements que vous aurez dans diverses situations.

Prenez conscience de vos capacités, des compétences que vous développez et de votre ressenti lorsque vous incarnez cette valeur.

Et demandez-vous, si vous aviez dès aujourd'hui cette capacité, qu'est-ce qui changerait dans votre vie ?

Laissez-vous prendre conscience réellement de tout ce qui serait modifié ou à modifier dans votre attitude et peut-être dans votre entourage.

Comme vous conservez toutes ces sentations en vous, comme vous vous sentez incarner profondément cette valeur, si fondamentale pour vous, vous revenez progessivement dans votre corps. Soyez attentif à votre respiration, sentez les contours de votre corps, bougez les mains et les pieds, respirez plus profondément, étirez-vous, bâillez, ouvrez les yeux.

Vous pouvez utiliser cette relaxation/visualisation pour acquérir toute sortes de compétences techniques, professionnelles, sportives ou sociales.

34. JE FAIS « COMME SI »

Vous avez une idée de la façon dont se comporterait une personne ayant confiance en elle dans telle ou telle circonstance ? Alors, faites « comme si » vous aviez confiance en vous.

Parlez fort en regardant les autres dans les yeux, donnez de franches poignées de main, posez vos baisers sur les joues et non pas dans le vide. Créez un contact avec les autres, physiquement et émotionnellement.

Restez attentif aux réactions d'autrui. Quand on manque de confiance en soi, on a tendance à traverser la vie les yeux fermés. Ne regardant pas les autres, on ne voit pas les signaux qui nous informent qu'ils en ont assez ou qu'ils sont happés par autre chose et ne nous écoutent plus. Alors on continue à parler et on se confirme qu'on est insupportable ! Tandis qu'en les regardant, quand leurs yeux vagabondent, nous pouvons suivre leur regard et voir, par exemple, qu'ils ont été captés par une autre stimulation : la neige qui tombe, un magnifique coucher de soleil ou un objet dans une vitrine... Nous pouvons partager avec eux plutôt que de continuer notre monologue.

Quand on manque de confiance en soi, on manque aussi souvent de souplesse, alors exercez-vous. Faites comme si vous aviez confiance en vous, manifestez de la souplesse dans votre corps, dans vos émotions, dans votre cœur et dans vos idées.

35. JE SUIS EXIGEANT ET CRÉATIF

Oui, faites preuve de souplesse dans vos idées. Il y a toujours au moins trois solutions à un problème.

Penser qu'avoir confiance en soi signifie connaître « la bonne réponse » et rester sur sa solution ne vous mènera qu'à la rigidité. Pour acquérir une profonde confiance en vous et en la vie, en votre capacité à faire face à toutes sortes de situations, développez votre aptitude à chercher de nouvelles solutions, exercez votre créativité. Ne vous contentez pas de réussir, cherchez un autre chemin, et encore un autre. Voyez si vous pouvez en trouver un meilleur. Il y a souvent plusieurs routes pour parvenir à une destination. Ne nous coinçons pas dans un parcours. Chaque nouvelle découverte, nourrissant la confiance en soi, apportera à celui qui la fait une dose de fierté.

36. JE PRENDS DES RISQUES, J'OSE

La confiance est dans la prise de risques !

Procédez par objectifs. Prendre un petit risque par jour fera grandir très vite votre assurance personnelle. Un objectif vous permet d'être en dynamique de projet, donc de sortir de la passivité dans laquelle nous plonge souvent le manque de confiance. Avoir un projet, c'est dire *je*. C'est aussi conserver une part de maîtrise dans une situation. Fixez-vous des objectifs en termes de comportement, d'attitude, de parole mais pas de résultat. Le résultat de vos actes ne dépend pas que de vous. En revanche, vous avez le choix de vos comportements, de vos paroles et de vos attitudes.

Quelques exemples d'objectifs pertinents :

Je donne mon numéro de téléphone à trois personnes.

J'oriente la conversation sur un sujet une fois dans la soirée.

Je parle de moi à deux personnes.

Je parle de mon projet X à une personne.

Je téléphone à l'inspecteur des impôts.

Quelques objectifs périlleux parce qu'ils ne dépendent pas de nous – et donc à éviter :

Untel me téléphone.

Je suis apprécié par tous.

Les autres viennent vers moi et me parlent.

J'obtiens une réduction d'impôt.

Je suis choisi pour réaliser le dossier V.

Et pourtant, en étant honnête, nous pouvons souvent remarquer que ces objectifs inatteignables sont souvent les nôtres, plus ou moins ouvertement. Observez comment nous faisons parfois dépendre notre confiance en nous des réactions des autres! Les autres ont toutes sortes de raisons d'agir comme ils agissent, indépendamment de nous.

Pour construire et solidifier la confiance en soi, mieux vaut ne comptabiliser que succès et échecs dépendant de nous.

Après la réunion, la soirée, la situation à laquelle vous vous étiez préparé en vous fixant un objectif, faites le bilan. Vous n'êtes pas parvenu à atteindre votre objectif? Prenez le temps de comprendre pourquoi, ce qui vous a manqué. Votre objectif n'était peut-être pas adapté, trop ambitieux. Voyez quel objectif serait pertinent et utile pour une prochaine fois.

Vous avez réussi? Félicitez-vous, ressentez de la fierté. Ne dévalorisez ni votre objectif, ni votre geste. C'est en se félicitant de gravir chaque petite marche qu'on arrive un jour plein d'énergie en haut de l'escalier.

CONCLUSION

Ces exercices ne sont évidemment pas exhaustifs, il y a d'innombrables façons d'acquérir davantage de confiance en soi. À chaque pas que vous faites, s'il est posé consciemment, à chaque respiration que vous prenez, si vous inspirez et expirez consciemment, vous pouvez augmenter votre sentiment d'être vous-même et d'avancer sur votre chemin. « Être en santé », c'est être capable d'aimer et de travailler, disait Freud. Le bonheur se trouve au croisement des deux axes de notre existence. L'axe horizontal : aimer, être en relation, se sentir appartenir au groupe humain, être relié. Et l'axe vertical : se réaliser, grandir, accomplir, construire, apporter sa touche personnelle à l'univers.

Votre manque de confiance en vous est une réaction à un ou plusieurs événements de votre histoire et/ou à votre situation sociale présente. En guérissant vos blessures, vous récupérerez du pouvoir sur vous-même. Pourquoi vous laisser enfermer par des réactions émotives limitantes, vous confiner dans une vie qui n'est pas la vôtre ?

J'espère que vous aurez trouvé dans ces quelques pages de quoi transformer votre existence au quotidien. Quelques nouvelles attitudes suffisent souvent à inverser la vapeur, tant l'environnement réagit en général vite et positivement à nos changements.

Si vous bloquez, si vous ne parvenez ni à agir ni à aller vers les autres, si les exercices proposés vous paraissent vraiment trop difficiles, regardez du côté de votre histoire. Vous en ignorez peut-être encore une partie. Vous avez refoulé des émotions, de la peur, mais aussi de la colère, des rages... Vous avez enterré une partie de vous-même. Quelques fouilles vous permettront d'exhumer les vieilles blessures dont les conséquences se font sentir jusque dans votre présent. Les plus grandes douleurs peuvent être guéries si on les regarde. Vos croyances négatives sur vous-même, « je suis nul, je ne suis pas intéressant... », ne sont que des croyances. En les déracinant, vous retrouverez votre vérité. On ne peut avoir confiance en soi quand on ne se connaît pas, quand on laisse à d'autres le pouvoir de nous définir. Nos peurs servent souvent le pouvoir d'un parent, il nous faut alors passer par la révolte pour prendre notre autonomie.

Je terminerai par ces paroles de Caroline : « C'est un détail, c'est bête, mais... je suis venue avec la grosse voiture. Jusqu'à présent, je ne la prenais jamais, je me contentais de ma petite, vieille, sans chauffage, sans radio... mais à ma taille. La neuve, je n'avais pas pu la prendre jusque-là. J'avais trop de peurs. Peur de ne pas savoir la conduire, de l'abîmer, d'avoir un accident... Elle était trop belle, trop grande. La petite convenait mieux à l'image que j'avais de moi. Et puis, ce matin, j'ai décidé que j'étais plus importante qu'une voiture. Je sais qu'un accident peut arriver, et alors ? Ça se répare. Je n'ai plus peur, et qu'est-ce que je me sens bien ! Elle est plus confortable, il y a la radio, le chauffage et puis dans une belle voiture... je me sens différente ! »

Une fois le chemin entamé, la route est de plus en plus facile à suivre. Les portes s'ouvrent. Caroline a franchi le premier barrage en osant prendre le volant de la belle voiture. Ayant vérifié qu'elle peut la conduire sans difficulté, elle se sent de plus en plus confiante, la spirale positive est engagée.

Quelle que soit votre histoire, vous avez le droit de reprendre le volant de votre vie, les rênes de votre destinée, d'oser conduire la belle voiture. Et ce n'est pas une quête nombriliste. Le manque de confiance en soi des individus a d'importantes répercussions sur la société. Il permet l'asservissement de certains, donne un pouvoir excessif aux autres, maintient un sentiment d'impuissance devant les injustices. Donnons du sens aux mots « Liberté, Égalité, Fraternité » inscrits au fronton de nos institutions. La liberté n'est pas dans l'absence de chaînes. Elle n'est rien si vous n'avez pas de liberté intérieure. Vous êtes vraiment libre quand vous avez confiance en votre personne propre, en vos compétences, et éprouvez un solide sentiment de sécurité intérieure. Vous ne pouvez vivre l'égalité que lorsque tout complexe d'infériorité est banni. Vous pouvez manifester votre fraternité quand vous n'avez plus peur des autres. Nos ancêtres ont lutté pour l'égalité des droits de l'homme. Honorons leur travail. La démocratie repose sur nos épaules à tous. Elle nécessite que chacun prenne sa place dans la société.

La confiance en soi comme le bonheur sont des conséquences et non des buts. Quand deux routes s'offrent à nous, suivre le chemin que nous dicte la joie et non celui auquel la peur nous invite permet de solidifier chaque jour davantage sa confiance en soi. Car cela nous permet d'affiner nos réponses à ces questions : « Qui suis-je ? » « Quelles sont mes valeurs ? » Chaque fois que nous affirmons nos valeurs, même dans de petits détails du quotidien, nous renforçons la confiance en nous.

Avoir confiance dans l'instant, c'est se sentir vivre en soi. Je respire, je suis vivant, je suis moi.

Écoutons la sagesse des Améridiens qui résume si bien en une phrase ce que j'ai tenté de développer dans ce livre : « **Là où sont posés mes pieds, je suis à ma place.** »

Pour en savoir plus

Pour prendre contact avec Isabelle Filliozat, recevoir le programme des conférences, des stages et de la formation spécifique pour les psychothérapeutes, rendez-vous sur le site :

www.filliozat.net

Sur ce site, vous pourrez aussi acheter en ligne livres, K7, CD d'exercices de relaxation (notamment le CD « Chemins de guérison ») et enregistrements de conférences, ou encore poser une question à Isabelle Filliozat. Retrouvez aussi les programmes de coaching : « Être plus sûr de soi », « Mieux communiquer », « Être prêt à aimer », « Mieux vivre vos émotions » conçus par Isabelle Filliozat sur le site du magazine *Psychologies* : www.psychologies.com ou sur votre mobile Orange.

Le secrétariat vous répondra au 04 42 92 62 88.

TABLE DES MATIÈRES

Composition réalisée par Nord Compo

IMPRIMÉ EN ESPAGNE PAR LIBERDUPLEX

Pour le compte des Éditions Marabout
D.L. n° 82036 - Février 2007
ISBN : 978-2-501-04963-4
40.9896.8/01